D0418861

HOU JE VAN BLAUWE OGEN?

Van 'Hou je van blauwe ogen?' kan ook een avond- of school-voorstelling op toneel geboekt worden.
Informatie hierover is aan te vragen bij: secretariaat@i-cultuur of telefonisch op nummer 00-32-53 41 04 19.

Robin David

Hou je van blauwe ogen?

Uitgeverij C. de Vries-Brouwers
Antwerpen   Rotterdam

CIP GEGEVENS KONINKLIJKE BIBLIOTHEEK, 's-GRAVENHAGE
C.I.P. KONINKLIJKE BIBLIOTHEEK ALBERT I

David, Robin

Hou je van blauwe ogen? / Robin David. –
Antwerpen ; Rotterdam: de Vries-Brouwers.
ISBN 978-90-5341-603-7
NUR: 284
Trefw.: roman

ISBN 978-90-5927-125-8
D/2007/0189/30

1

Toeval

Hij trok zijn hemd aan en ritste haastig zijn sporttas dicht. Het zinderde in zijn benen. Vijfhonderd meter crawl tegen de klok was niet niks. Voor de spiegel, aan het einde van de kleedhokjesgang, kamde hij met zijn vingers zijn haar naar achter. Meestal deed hij er gel in, maar nu zijn haar langer werd, bleef het vanzelf liggen. Zeker nu het nat was. Moeder moest het eens weten. Steeds als hij ging zwemmen, riep ze dat hij zijn haar moest drogen voor hij naar huis kwam. Dat hij anders vast een longontsteking kreeg. Een longontsteking omdat zijn haren nat waren? Hij moest lachen. Al bedoelde ze het goed, toch had z'n moeder soms vreemde ideeën. Hoe dan ook, vandaag had hij geen tijd om zijn haar te drogen. Hij moest zich haasten, want hij wou naar de cd-zaak. Het was bijna zes uur, zag hij op de klok. Ach, die cd liep vast niet weg. Die haalde hij morgen wel. Oma was binnenkort jarig en hij had een cd van Cliff Richard besteld. Daar had ze vroeger een oogje op. Ze had zelfs een plakboek met knipsels over hem bewaard.

Het werd drukker in het zwembad. Moeder met kind, een oma in een bloemetjesbadpak en dito badmuts, een gie-chelend meisjeskwartet en... Zijn adem stokte. Het leek of zijn hart enkele tellen oversloeg. Er flitsten beelden door zijn hoofd, die hij vergeefs had geprobeerd te verdringen. Vorige zomer, een maandagavond in het park in de avondschemering. De donkere ogen die dichterbij kwamen en hem meelokten tussen de hoge struiken. De handen die plots overal waren en de warme, zachte lippen op de zijne. Broeken ritsten open en ze zoenden en proefden en streelden op stoute plekjes. Namen werden gefluisterd en massa's lieve woordjes. Tot ze overstroomden van passie en in elkaars armen rust vonden. Het besef van realiteit keerde terug en de donkere ogen ontweken hem. Enkele seconden later zat hij, tegen een boom geleund, te bekomen. Alleen. Overweldigd. Drie maanden geleden was het, maar de herinnering stond opeens verbazingwekkend dichtbij. In de spiegel ving hij een glimp op van het gezicht. De wilde mond, de zwarte wenkbrauwen. In een flits, alsof zijn ogen een foto namen, nam hij alle details in zich op. Het korte haar, opgeschoren in de nek, met daaronder de brede schouders. Een badhanddoek in de linkerhand. De blauwe zwembroek en de benen die zich richting zwembad repten. Er was geen twijfel mogelijk, hij was het.

'Rachid?' In zijn opwinding had hij het iets te luid geroepen. De donkere rug draaide zich om en weer zag Pieter de ogen naderbij komen.

'Ja? Wat is er? Wie ben jij?'

'Je kent me niet meer, hè?' zei Pieter. 'We hebben elkaar in het park ontmoet. Begin augustus.' De blik verstrakte. De jongen ontkende en wou gaan. Pieter greep zijn schouder en hield hem tegen. Zijn hand werd ruw weggeslagen.

'Raak me niet aan,' klonk het sissend. Geschrokken deinsde Pieter achteruit. Na een korte aarzeling maakte de ander rechtsomkeer en liep weg. Pieter moest bekomen. Zo'n reactie had hij niet verwacht. Schichtig keek hij in het rond, maar blijkbaar had niemand de kleine schermutseling opgemerkt. Het was ook allemaal zo snel gegaan. Hij greep zijn tas en rende naar buiten. Daar bleef hij staan en haalde diep adem. Verdorie, hij was toch geen misdadiger? Er was geen enkele reden om op de loop gaan.

'O nee, man, zo makkelijk kom je er niet van af,' dacht Pieter. Ondanks Rachids vijandige houding daarnet besloot hij te wachten. Hij ging zitten op de trappen van het sportcomplex. Het was pas begin november, maar toch al duivels koud. Dat beloofde wat voor de wintermaanden. Oh, wat haatte hij de winter.

Later verhuis ik naar Spanje, fantaseerde Pieter. Ik koop er een huisje aan één of ander zonnig strand en word een professioneel zonnebader.

De kou trok venijnig op en rillingen liepen over zijn rug. Hij kreeg een diepvrieszitvlak. Hij stond op en probeerde de kou uit zijn billen te kloppen. Nu op een gloeiende kachel zitten, hij zou het niet eens merken. Had hij maar handschoenen meegenomen. Vergeefs probeerde hij zijn handen warm te blazen. Verdomme, waar bleef Rachid nu? Even rees er twijfel in Pieters hoofd. Rachid zou hem toch niet opnieuw afsnauwen? Tja, dat risico moest hij maar nemen. De deur sloeg dicht en hij schrok op. Daar was hij.

'Rachid! Wacht. Alsjeblieft.' Met zijn fiets aan de ene hand en zijn tas in de andere holde hij achter Rachid aan. Goddank, hij hield halt.

'Rachid, ik... eh...' Hij moest eerst op adem komen.

'Kun je iets eh... langzamer... lopen?' De ander vertraagde zijn tred.

'Ik heb op je gewacht. Zullen we ergens naartoe gaan? Iets drinken? Ergens waar het warm is.' Rachid schudde het hoofd.

'Dan loop ik een eindje met je mee. Tenminste, als je het goed vindt?' Rachid antwoordde niet en trok de kraag van zijn jas wat hoger. Pieter zocht naar woorden. Intussen leverde hij een gevecht met zijn fiets en zijn sporttas. Waarom nam hij altijd zo'n grote tas mee? Z'n hele hebben en houden kon erin. Met zijn andere hand probeerde hij te sturen. Zonder op te kijken nam Rachid de tas van hem over.

'Dank je.' Pieter was verbouwereerd. 'Waarom was je zo bot daarstraks?' Het bleef stil. 'Het was wel schrikken.' Pieter klonk verwijtend. 'Was het nu echt nodig me zo af te blaffen? Ik was blij je terug te zien. De voorbije maanden had ik er zo op gehoopt.' Een laatste restje sneeuw van gisteren knerpte onder de fietsbanden.

'Ik ook.'

'Wat?'

'Blij dat ik je zie.'

Pieter trok diepe rimpels in zijn voorhoofd. 'Waarom deed je dan zo rot? Je was echt gemeen!' Rachid haalde zijn schouders op en hij zwaaide de tas met een wijde boog in zijn andere hand. Ze wandelden nu elleboog tegen elleboog.

'Geen idee. Ik wil niet dat mensen... dat mensen denken dat ik...' Hij zweeg en Pieter begreep wat hij bedoelde.

'Ik wilde alleen maar even met je praten. Verdomme, ik was echt blij je te zien.'

'Sorry.' Het kwam er een beetje stug uit. Maar het klonk gemeend. Ze slenterden door de koude avond. Pieter hengelde onhandig naar een afspraakje. Of ze misschien toch iets konden gaan drinken binnenkort? Om wat bij te kletsen, meer niet.

'Het is toch leuk elkaar beter te leren kennen. Of niet soms,' bedelde Pieter. Rachid keek opzij en glimlachte.

'Dus je hebt zin,' concludeerde Pieter.

'Als je een geschikte plek weet.' Rachid legde de bal in Pieters kamp. Pieter somde een aantal cafés op, maar daar wilde Rachid niet van weten.

'Te druk, te ver, te groot, te duur, te rokerig.'

Pieter zuchtte: 'Een grote hulp ben jij niet.'

'Net voorbij de oude brandweerkazerne is een smal straatje,' zei Rachid. 'Ik ken de naam niet, maar dat doet er niet toe. In dat straatje is een koffiehuis, maar je kunt er ook thee krijgen. Ik heb ook geen flauw vermoeden hoe die zaak heet, maar je weet wat ik bedoel.' Pieter moest lachen.

'Ik hoop dat jij toeristen nooit de weg moet wijzen. Je bent een ramp. Maar wees gerust, ik ken het koffiehuis. Al weet ik ook niet hoe het heet. Het lijkt me best een gezellige plek. Van buiten gezien, want ik ben er nog nooit binnen geweest.'

'Dat is geregeld,' besloot Rachid. 'Zaterdag om vier uur in dat koffiehuis zonder naam.'

Pieter overwoog of hij Rachid zijn telefoonnummer zou geven. Misschien beter niet, want dat leek een beetje opdringerig. En Rachids nummer vragen durfde hij ook niet goed. Hoe zou Rachid reageren? Pieter keek hem onderzoekend aan.

'Wat? Denk je dat ik niet kom, zaterdag,' wilde Rachid weten.

'Toch wel,' haastte Pieter zich, 'en ik zal er ook zijn.'

'Het is je geraden,' adviseerde Rachid lachend.

Bij het volgende kruispunt moest Rachid naar rechts. Pieter had al veel eerder de andere kant op gemoeten, maar hij vond het leuker met Rachid mee te wandelen. Ze bleven stilstaan. Zijn fiets zette hij tegen een lantarenpaal en hij stak zijn handen diep in zijn broekzakken. Hij stond voor Rachid en de donkere ogen peilden de zijne. De zwarte stekeltjes op zijn hoofd glommen in het halogeenlicht.

Rachid strekte zijn hand uit. 'Bedankt dat je gewacht hebt.' Het klonk Pieter als muziek in de oren.

Het was bijna kwart voor acht. Thuis zouden ze niet weten waar hij bleef. Dat werd racen, als hij op tijd wilde zijn voor het avondeten.

'Tot zaterdag,' riep hij en hij sprong op zijn fiets. Hij was al een meter of twintig ver toen hij iemand hoorde roepen. Hij stopte en keek om. Rachid stond met zijn ene arm te zwaaien en hield met zijn andere Pieters sporttas omhoog.

2

Koffie en thee

Pieter zat al meer dan een kwartier te wachten in het koffiehuis. 'Le Rossignol' heette de zaak. Daar had hij deze keer op gelet. Dat was Frans voor nachtegaal. Wie noemt nu zijn zaak 'de nachtegaal'? Er was in het hele koffiehuis geen vogel te bespeuren. En druk kon je het er ook niet noemen. Het was nog geen vier uur en op dit tijdstip slenterde haast iedereen langs overvolle etalages. Waarom was hij ook altijd zo vroeg? Aan het raam was nog een tafeltje voor twee vrij. Dat was geluk hebben. Er waren weinig klanten, maar die wilden allemaal aan het raam zitten. Als hij naar buiten keek, kon hij zo bij de overburen binnen kijken. Het straatje was bijzonder smal. Toch bleven de gordijnen aan de overkant open. Waarom ook niet? Als die mensen er geen last van hadden. Iets verder zag hij een verroeste ijzeren deur. Dat moet de dienstingang geweest zijn van de vroegere brandweerkazerne. De grote poort was om de hoek; een brandweerwagen zou wel niet door het straatje kunnen. Je huis zal maar in brand staan, dacht Pieter. Hij drukte zijn neus tegen de ruit en keek afwisselend rechts en links of hij Rachid zag. Als hij nu maar kwam opdagen. Dat had hij beloofd. Pieter had, totaal overbodig, zijn telefoon op tafel gelegd. Alsof hij van Rachid toch een berichtje verwachtte. Een krankzinnig idee, want ze hadden geen telefoonnummers uitgewisseld. Pieter werd bloednerveus van dat wachten. Nog maar eens de spijskaart bekijken dan. Wafels, ijs... Wie wil er nu ijs met dit weer? Pannenkoeken met suiker, met jam, met honing, met kaas.... Jakkes, wat een combinatie.

'Hoi.' Een ingeduffelde Rachid stond ineens voor zijn neus. Pieter had hem niet eens horen binnenkomen.

'Waarom zit je hier?'

Pieter keek hem verbaasd aan.

'We hadden hier toch afgesproken?' Dat was het enige zinnige antwoord dat hij kon bedenken.

'Ik bedoel aan het raam.'

'Da's toch leuk.'

'Hier zitten we in het zicht.'

Rachid schoof de stoel achteruit. Als een goochelaar drapeerde hij zijn korte, lichtgrijze jas over de rugleuning. Zijn lange, groene sjaal had hij wel drie keer om zijn hals gewikkeld. Toen die netjes opgevouwen was, legde hij die samen met zijn handschoenen op tafel. De handelingen gebeurden zwijgend, als in een ritueel. Hij ging zitten, half verscholen achter de gordijnen.

'Nu begrijp ik het,' dacht Pieter. 'Hij wil liever niet met mij gezien worden.' Pieter wenkte de kelner, want hij wilde nog een kop koffie.

'Wat wil jij?'

'Een muntthee alstublieft.' De man noteerde de bestelling.

'Kort geheugen,' dacht Pieter.

Toen de kelner weg was zuchtte Rachid. 'Moeder is altijd zo nieuwsgierig. Alles wil ze weten. Waar ik naartoe ga. En met wie. En voor hoelang. Terwijl vader...' Rachid zweeg toen de kelner hun drankjes bracht. 'Vader maakt er zich niet druk om. Die vertrouwt me volledig.' Een beetje achterdochtig bekeek hij het theebuiltje en dompelde het dan toch maar in het hete water. 'Thee in papieren zakjes.' Rachid schudde het hoofd en zuchtte weer. 'Verse muntthee kennen ze hier blijkbaar niet.' Hij keek naar Pieter en haalde zijn schouders op. 'Ik kan niet zo heel lang blijven. Om zes uur moet ik thuis zijn.'

'Om zes uur al,' riep Pieter uit. 'Dat is wel vroeg. Dan moet je zo weer weg!'

Rachid had twee suikerklontjes uit het papier geprutst en liet ze nu in de thee vallen. Hij knikte al roerend. 'Daar kan ik niet onderuit,' zei hij. 'Er komt een oom uit Marokko op bezoek. De jongste broer van mijn moeder. Hij is maar vijf jaar ouder dan ik. Een toffe kerel. Ik heb hem al twee jaar niet meer gezien. Hij heeft een bakkerij in Nador en komt maar zelden op bezoek. Ik kijk er echt naar uit. Dat snap je toch?' Voorzichtig nipte hij van de dampende thee.

Anderhalf uur was kort, dus Pieter besloot met de deur in huis te vallen.

'Weten ze thuis dat je op jongens valt?' Rachid verslikte zich haast.

'Ben je niet goed wijs? Dat zou wat geven thuis. Mijn vader zit in het bestuur van de moskee. Hij krijgt een hartverzakking als hij het hoort. Nee, nee, wat niet weet, wat niet deert.' Rachid leunde achterover in de brede stoel.

'Jij strooit het toch ook niet in het rond?'

'In het rond niet. Maar mijn neef weet het wel.'

Rachid keek verbluft.

'Heb je iets over mij verteld?'

'Nee.' Rachid haalde opgelucht adem.

'Maar als ik ooit een vaste vriend heb, ga ik het niet verstoppen.'

Snel loerde Rachid om zich heen.

'Wie weet het nog meer?'

Pieter streek zijn haar opzij. 'Sara, de vriendin van mijn neef. Niet dat ik het van de daken schreeuw, maar ik ga er niet om liegen.'

Het zat Rachid duidelijk niet lekker. Onrustig wiebelde hij heen en weer op zijn stoel. Hij broedde op iets en Pieter, die wist dat er iets op komst was, zette zich schrap.

'Kijk,' begon Rachid bedaard, 'ik respecteer jouw mening. Maar dan verwacht ik van jou hetzelfde.'

Pieter knikte bedachtzaam. Hij vond het niet meer dan logisch. Maar het venijn zat in de staart.

'Als ik met jou gezien word, gaan mensen allerlei dingen over mij verzinnen. En dat wil ik niet.'

Het luchtkasteel dat Pieter de voorbije dagen had gebouwd viel in stukken uiteen. Stiekem had hij op vriendschap gehoopt en misschien wel meer.

'Ik zou het wel fijn vinden om je regelmatig te zien,' bekende hij kleintjes.

'Natuurlijk zou het fijn zijn. Alleen...' Rachid zweeg.

'Alleen wat?'

'Je ziet er niet meteen uit als een macho. Je bent een beetje...een beetje...'

'Verwijfd?'

'Nee, niet verwijfd.' Rachid zuchtte. 'Gewoon een beetje...
euh... flauw.'

'Ik heb er nog nooit opmerkingen over gehad.' Pieter dacht
een tijdje na. Wat vervelend nu. Rachid vond hem niet mannelijk genoeg. Zou het dan echt zo opvallen? Het was waar.
Ze verschilden in bijna alle opzichten. Pieter was verfijnd
en... goh, ja, hij had zachte trekken. Hij bewoog ook sierlijk.
Terwijl Rachid de stoere bink was. Fors gebouwd, strakke
bewegingen, stoere blik.

Hij keek Rachid vragend aan.

'We moeten voorzichtig zijn,' reageerde Rachid nuchter.
Oef! Pieter ontspande. Dat was een pak van zijn hart. Als dat
het enige probleem was... Natuurlijk zouden ze voorzichtig
zijn. Dat viel makkelijk te regelen. Alles kwam goed. Hij zou
alles doen wat Rachid vroeg. Zolang ze elkaar maar konden
ontmoeten. Ontspannen leunde hij achterover. Het leven zag
er weer rooskleurig uit.

'Hoe moet het nu verder met ons?'

Pieter schrok op uit zijn dromerijen. Rachids vraag verraste hem. Hij kon niet dadelijk een antwoord vinden en
staarde naar de lijnen in zijn handpalm.

'Staat het daarin,' plaagde Rachid. 'Kijk,' vervolgde hij
meteen, 'we kunnen naar het bos. Met bus zeven ben je er in
een kwartiertje.' Pieter rilde.

'Ben je gek. Het is winter en steenkoud. Geen mens die
naar het bos trekt met dit weer.' Rachid boog vooraf en
fluisterde: 'Fijn. Dan is het hele bos van ons.' Hij knipoogde
ondeugend en bij Pieter viel het muntje. 'Je bedoelt dat wij
dan euh...'

Rachid dronk het laatste restje thee op en maakte Pieters zin af. 'Dat we er dan kunnen doen en laten wat we willen.' Het krioelde van de vlinders in Pieters buik. Het leek wel of ze er met honderden tegelijk rondfladderden. Met wazige blik zag hij ergens in de verte zwoele visioenen opdoemen. Rachid bekommerde zich om de praktische kant en dokterde intussen uit hoe ze er best naar toe konden. 'Volgende zaterdag, om half twee. Laten we de bus nemen op de hoek van de Groenstraat. Dat is voor allebei een eindje lopen, maar dan zijn we samen. Da's leuker,' stelde Rachid voor.

'Dan pas?' pruttelde Pieter teleurgesteld. Hij had heimelijk verwacht dat ze er op woensdag al naartoe konden. Voor één keer zou oma het wel door de vingers zien als hij niet kwam opdagen.

'Die paar dagen tot nu waren al zo lang. Nog eens een week wachten! Dat hou ik niet vol.' Rachid voelde zich gevleid door zoveel ongeduld.

'De beloning zal veel goed maken,' verzekerde hij met een vleugje leedvermaak.

Pieter voelde een blos omhoog kruipen. Rachid merkte het niet of deed alsof.

'Nu mijn oom er is,' verduidelijkte Rachid, 'staat vader erop dat ik de tijd na school thuis doorbreng. En ik vind het eigenlijk ook wel gezellig.'

Pieter knikte, maar probeerde toch te onderhandelen.

'Kun je echt niet woensdag?' Rachid was niet te vermurwen.

'Op woensdag doe ik euh... vrijwilligerswerk.' Hij tikte

nerveus met het lepeltje tegen het glas en keek naar buiten. Het begon te schemeren.

'Wat voor werk doe je dan?'

Rachid maakte een gebaar alsof het niet interessant genoeg was om te vertellen.

'Hé, kom op. Ik wil het weten.'

'Man, wat kun je toch zeuren,' beet Rachid. Hij streek het kassabonnetje glad en keek hoeveel ze moesten betalen. 'Onderhoudswerk in de moskee. Tevreden?' De bitsige toon bracht Pieter van zijn stuk.

'Sorry hoor, ik wou het alleen maar even weten,' prevelde hij verontschuldigend. Maar Rachid had het niet zo bedoeld. Omdat zijn vader in de moskeeraad zat, moest hij een voorbeeld stellen. Hij had zijn zoon gevraagd een handje toe te steken bij het onderhoud van de gebedsplaats. Er was altijd wel iets te doen. Een likje verf hier, een timmerwerkje daar. Hij deed het graag, maar uit angst uitgelachen te worden, praatte hij er nooit met anderen over. Rachid krabbelde zijn gsm-nummer op de achterkant van het bonnetje en schoof het over de tafel Pieters richting uit. Hij stond op en zei: 'Haal je het niet, stuur dan een berichtje. Ik moet ervandoor.' Hij sloeg zijn sjaal om en trok zijn jas aan. Zijn handschoenen klemde hij onder zijn arm terwijl hij in z'n jaszak naar muntstukken zocht. Uit een handjevol viste hij er enkele op en legde die op tafel. Hij gaf Pieter een vluchtige glimlach als afscheid.

'Tot volgende week.' En even snel als hij gekomen was, verdween hij weer.

Fluitend fietste Pieter naar huis. Hij stond recht op de

pedalen en liet het stuur los. Met wapperende haren en de armen boven het hoofd gestrekt bleef hij zo zeker twintig meter rijden. Een mevrouw gebaarde verschrikt dat hij voorzichtig moest zijn. Hij wuifde en riep dat het zomer werd. Ze lachte en keek hem hoofdschuddend na. De kou kon hem niet deren. Al bleef het winter tot in augustus, van binnen voelde hij zich warm.

3

Bomen en struiken

Ze stapten uit de bus. Pieter eerst. Rachid liet enkele mensen voorgaan en volgde. De afspraak was dat ze niet te vertrouwelijk met elkaar zouden omgaan in het bijzijn van anderen. Daar stond Rachid op en Pieter hield er nauwgezet rekening mee. Toen de andere mensen en de bus uit het zicht verdwenen waren, renden ze naar het bos. Ze waren er al vlakbij. Nu nog het brugje over en dan nog enkele tientallen meters. Pieter kwam als eerste aan en stopte. Als in een roes spurtte Rachid hem voorbij en hijgde: 'Kom mee. Verder.'

Pieter begreep dat het veiliger was als ze nog wat doorliepen. Tussen kreupelhout en struiken door joegen ze voort tot ze aan de rand van een kleine open plek stilstonden. Rachid stond voorovergebogen naar adem te happen. Pieter had het makkelijker. Hij was duidelijk een langeafstandloper. Toen ze min of meer bekomen waren, boorden hun ogen zich in elkaar. Ze wisten waarvoor ze gekomen waren. De spanning groeide. Pieters hart bonsde. Rachid trok hem naar zich toe. Ze grepen elkaar beet en in een krachtige omarming drukten ze hun lichamen tegen elkaar. Hij voelde Rachids buik tegen de zijne. Rachid legde zijn hoofd op Pieters schouder. Naar dit moment hadden ze de hele week uitgekeken. Hun adem ging sneller. Broeksriemen en knoopjes werden open geprutst. Koude vingers wurmden zich koortsachtig onder truien. Er heerste een doodse stilte en kale stammen stonden als schildwachten om hen heen.

Ze ontwaakten uit de extase. Rachid haalde zijn hand weg.

'Heb je een zakdoek bij je?'

'Eh, even kijken.' Pieter doorzocht moeizaam met zijn linkerhand broek- en jaszakken.

'In mijn rechterzak. Pak jij die even? Ik kan er met mijn linkerhand niet bij. En mijn rechter kan ik nu niet gebruiken.'

Rachid pakte de zakdoek en veegde eerst Pieters hand droog.

'Mijn buik is nat,' klaagde Pieter.

'Die van mij ook. En mijn onderbroek.'

Pieter keek een beetje beduusd. Het aftellen naar vandaag had zo lang geduurd en dat wachten was zo vreselijk spannend en opwindend. De gedachte alleen al had hem bijna gek gemaakt. Maar de klus was in een handomdraai geklaard. Letterlijk. Achteraf was het een beetje ontgoochelend. Zoveel drukte om niets. Was het dat nu? De zwoele visioenen die hij vorige week nog had, waren ver te zoeken.

De zakdoek was inmiddels niet meer te gebruiken.

'Zal ik die maar weggooien?' Pieter knikte.

'Daar moeten we de volgende keer rekening mee houden,' zei Rachid zakelijk.

'Neem dan maar een badlaken mee. Voor wat er bij jou uitkomt! Man, dat was een vulkaanuitbarsting.'

Rachid grinnikte. 'Ik heb me dan ook een hele week ingehouden.'

Pieters mond viel open. Meende hij dat nu?

Rachid merkte Pieters ongeloof. 'Het is echt waar hoor. Dat had ik ervoor over.'

Pieter duizelde van geluk. Hij sloeg zijn armen om Rachid heen.

'Wat heb jij nu?'

'Niks. Ik vind je leuk. Da's alles.'

'O,' zei Rachid, 'dan is het goed.' Hij gooide de zakdoek in een vuilnisbak die een eindje verder stond.

Ze zaten op een bank langs het wandelpad. Pieters hoofd lag op Rachids schoot. Zachtjes en teder streelde Rachid de donkerblonde lokken. Pieter genoot. Het was koud en toch hadden ze geen zin om naar huis te gaan.

'Kom je hier wel eens meer?' vroeg Pieter met gesloten ogen.

'Eh, mmmja... nee, eigenlijk niet.'

'Ja of nee?' drong Pieter aan.

'Ben hier alles bij elkaar vier keer geweest.' Rachid voelde achterdocht en voegde er snel aan toe, 'alleen! Jij bent de eerste met wie ik eh... doelbewust eh... afspreek eh... afgesproken heb. Je weet wel.' Rachid raakte in de war, maar Pieter werd nieuwsgierig.

'Heb je veel ontmoetingen gehad?'

'Nee, maar in hoge nood vind je altijd wel iemand. Voor een vluggertje.' Hij keek schalks naar Pieter. Die opende zijn ogen en ging rechtop zitten.

'Was ik een vluggertje voor jou, vorige zomer in het park?'

Rachid tuitte zijn lippen.

'In eerste instantie wel. Maar meestal gaat het er niet zo teder aan toe. Ik was de kluts kwijt en wist niet wat te doen. De dagen daarna heb ik dikwijls aan jou gedacht. Gehoopt je tegen te komen. Je was zo lief die avond.' Ze stonden op en wandelden naar de halte.

'En toch deed je vorige week in het zwembad zo rottig tegen me,' protesteerde Pieter. Rachid verweerde zich. 'Ik schrok me te pletter, man. Ik dacht dat je me om de hals zou vliegen. Me zoenen waar iedereen bij was.'

'Je had het me ook rustig kunnen uitleggen,' meende Pieter.

Rachid gaf Pieter een zoen op zijn koude wang. 'Heb ik het vandaag een beetje goedgemaakt?'

Pieter glimlachte en stak zijn arm door die van Rachid. Ze moesten haast maken wilde Rachid op tijd thuis zijn.

'Waarom moet jij zo vroeg thuis zijn?'

Rachid aarzelde. 'Vader staat erop.'

'Oh.' Pieter stelde geen vragen meer. In stilte wandelden ze naar de bushalte. De volgende bus kwam over tien minuten. Aan de overkant van de straat hing een affiche van een oude film die hij al lang wilde zien, La Strada van Fellini. Daar hadden ze vorig jaar op school les over gehad. Een film over groeiende liefde en vertwijfeling. Nu was er een eenmalige vertoning.

'Heb jij een pen bij je?'

Rachid schudde het hoofd.

'Help je mij dan die datum te onthouden?' Pieter wees naar de affiche. Rachid keek weifelend en schudde het hoofd.

'Ik kan niet lezen.'

Pieter keek verbijsterd.

'Kun jij niet lezen?'

'Niet zonder bril,' verduidelijkte hij en toen hij de uitdrukking zag op Pieters verschrikte gezicht bestierf hij het bijna. Toen Pieter bekomen was van de schrik begon hij ook te gieren. De situatie was ook te gek.

'Oh man, je had je gezicht moeten zien,' hikte Rachid toen de bui wat bedaard was.

Pieters buik deed pijn van het lachen.

'Moet jij een bril dragen?'

'Lezen, schrijven, televisie kijken. Dat soort dingen.'

Rachid begon weer te grinniken.

Pieter werd ernstig. 'Wat wil je later doen?'

Rachid wiste de tranen uit zijn ogen. 'Ik zou graag architect worden. In ieder geval iets met tekenen.' Er klonk hunkering in zijn stem. Het viel Pieter op.

'Fijn,' reageerde hij. 'Dan doe je dat toch.'

Rachid keek beteuterd. 'Thuis zijn ze er niet zo happig op. Ze zien me liever in openbare dienst gaan. Bij de spoorwegen of bij de post. Zo'n betrekking biedt meer zekerheid. Maar dat zegt me niets.'

De bus kwam eraan en ze stapten in. Ze gingen achterin zitten, naast elkaar. Pieter drukte zijn kuit tegen die van Rachid. Die deed of zijn neus bloedde. Een kwartier later moest Rachid eruit. Ze gaven elkaar een hand. De bus reed weg en Pieter keek achterom. Rachid niet.

4

Reflecties

De koude wind ging door merg en been. Rachid stapte stevig door. Ze hadden een heerlijke middag gehad met z'n tweeën. Hij trok zijn schouders op en snoof. Pieters geur hing nog in zijn sjaal. Wat een spetter was dat toch. Jammer dat hij iets groter was. Nu moest hij naar Pieter opkijken. Ach wat! Het scheelde misschien vijf centimeter. En die grote blauwe ogen. Zo blauw als de Middellandse Zee. Rachids grootouders woonden in de buurt van Nador, een klein stadje aan de Marokkaanse kust. Door hard werken en veel sparen hadden ze er een huisje met een zolderverdieping kunnen kopen. Vanuit het raampje boven zag je in de verte de zee liggen. Azuur tot aan de horizon. Als hij er met vakantie was, kon hij uren naar het blauwe water kijken. Nee, uren... dat was overdreven. Maar toch lang. Hij werd er altijd stil van. Wat zou het prachtig zijn als hij er met Pieter naartoe zou kunnen. Hij lachte. Pieter... Met zijn witte huid... In de felle zon hield hij het geen kwartier uit. Hij was lief geweest vandaag. Hij kon zich Pieter nauwelijks anders voorstellen. Lief, teder en zacht. Het was even wennen aan die andere handen. Maar Pieter wist blijkbaar van wanten. Nu had Rachid de waarheid wel een beetje geweld aan gedaan. Een hele week lang had hij zich ingehouden, dat was waar. Maar veeleer omdat zijn oom tijdens zijn verblijf bij hem op de kamer had geslapen. Vanavond had hij zijn slaapkamer weer voor zich alleen. Fijn. Dat beetje privacy vond hij geen luxe. De kou joeg hem nog sneller voort. Hij verheugde zich op een lange, warme zaterdagavond. Als zijn moeder nu maar weer geen vragen stelde. Wedden dat ze wou weten wat hij vandaag had gedaan. Liegen vond hij niet leuk, maar in dit geval zat er niets anders op. Stel je voor dat hij zei: 'Pa, ma, ik heb een jongen leren kennen. Hij heet Pieter en ik ben stapel op hem. Mag ik hem eens meebrengen?' Ze zouden hem zien aankomen. Dat hij op jongens viel, gold als een bewijs van een slechte opvoeding. Als dat uitlekte, zouden zijn ouders met de vinger gewezen worden. Hij zou zijn familie te schande maken. Zeker weten. Dat mocht hij ze niet aandoen. Aan de andere kant geloofde hij nooit dat Allah hem zou veroordelen. Ze vertrouwden elkaar en verlangden naar elkaar. Waar lag dan het kwaad? Bij Pieter mocht hij broos en kwetsbaar zijn. Niet dat hij dat was! Nee, nee. Maar het mocht. Dat intense geluk kon onmogelijk een zonde zijn. En toch stond het zo in de Koran. Niet letterlijk, maar wie tussen de regels door las, kon het er makkelijk in terugvinden. Shit! Shit, shit, shit. Wat een boel shit. Op een moment als dit wou hij wegrennen uit dit leven. Hij dacht aan Pieter en glimlachte. Tijdens de busrit had Pieter op gedempte toon gevraagd of ze nu officieel samen waren. Heel kort had hij Pieter aangekeken en geglimlacht. Dat pezige lijf wond hem op. Het idee met een jongen te zoenen had hij altijd een beetje… Tja, hoe moest hij het noemen? Niet vies, of ja, misschien toch wel een beetje. In ieder geval bizar. Het hoorde gewoon niet, punt uit. Maar Pieter had de zachtste lippen en de lekkerste mond. Zijn zoenen waren zoeter dan slagroom.

Wat Rachid betrof waren ze zeker samen. Op dinsdag ging Pieter gewoonlijk zwemmen en hij had gepolst of Rachid er iets voor voelde samen te gaan. Dat hoefden ze hem geen twee keer te vragen. Natuurlijk ging hij mee. Hij was dol op zwemmen. Maar hij zag er altijd tegenop om alleen te gaan. Nee, dan liever met zijn beiden. Dat was veel plezieriger. Wellicht omdat ze zelf niet kon zwemmen, kwam zijn moeder altijd met een reeks bezwaren aandraven. Was het water niet te nat, of te diep, of te vuil. Om haar een plezier te doen zou hij een half uur douchen en zich schrobben met een stalen borstel. Als hij maar met Pieter kon gaan zwemmen. Met Pieter. Zijn Pieter. Nu ja, zolang Pieter zich maar niet te opvallend gedroeg.

5

Koude zondag

Pieter had een flinke verkoudheid te pakken.

'Wie gaat er nu in vredesnaam naar het bos. Het is bijna winter! Dan kun je toch beter naar de bibliotheek gaan,' zeurde zijn moeder.

'Daar kun je niet vrijen,' dacht Pieter maar hij was zo wijs het niet luidop te zeggen. Moeder was niet van gisteren. Ze had al langer in de gaten dat er iets niet in de haak was.

'Scheelt er iets, Pieter. Je bent vreselijk stil de laatste weken.'

Pieter schrok. Toen zei hij: 'Ja.'

Zijn moeder kwam bij hem zitten.

'Ik heb een vriend.' Het kwam er ineens uit. Voor hij er erg in had.

Moeder wachtte geduldig of er nog iets zou komen. Toen het stil bleef vroeg ze, 'waren jullie samen gisteren?'

Hij knikte, zweeg en luisterde naar de akelige stilte. Waarom zei ze nu niets?

'Geen wonder dan dat je verkouden bent.' Ze plukte een pluisje van haar trui. Meestal had ze een vlotte babbel, maar nu was het zoeken naar de juiste woorden. 'Het komt niet als een verrassing.' Ze inspecteerde haar handen en pauzeerde een ogenblik. 'Ik had een vaag vermoeden in die richting. Een moeder heeft zoiets snel door.' Het klonk het beetje verontschuldigend, of misschien verbeeldde hij zich dat maar.

Zijn moeder aarzelde een moment. 'Ik wou dat je er vroeger over begonnen was. Dan hadden we misschien kunnen helpen.'

'Helpen,' dacht Pieter. 'Hoe dan?'

Alsof ze gedachten kon lezen zei moeder: 'Ik weet ook niet waarmee of hoe. Maar praten lucht op en wij zijn er voor jou wanneer je maar wilt.'

Een hele tijd bleven ze naast elkaar zitten. In stilte. Ook toen het langzaam donker werd. Moeder stak met opzet geen licht aan. De duisternis schiep een sfeer van vertrouwen en Pieter begon te vertellen over de chaos van de afgelopen jaren. Gevoelens waar hij mee worstelde. Fantasieën waar hij zich achteraf over schaamde. En de eenzaamheid. Vrienden genoeg, dat wel. Maar hij hunkerde naar een omhelzing. En dan de ontmoeting vorige zomer. De begeerte die hem overviel, het toegeven aan de lokroep die hem al zo lang teisterde. En hoe overrompelend dat was geweest. Hoe het zijn wereld overhoop had gehaald. Hij verzweeg niets. De maanden van vertwijfeling daarna. Het verlangen dat zich diep in hem genesteld had. En van het immense geluk dat hij bij Rachid had gevonden.

'Hij was zo lief voor mij. Het was zo mooi. Zo...' Hij beet op zijn lip. Hij wilde per se niet gaan janken.

'Je bent ons kind, Pieter. Het maakt voor ons echt geen verschil... Maar helaas, niet alle mensen denken zo. Een paar huizen verder ben je misschien al niet meer welkom.' Ze stond op en ging in de keuken het avondeten klaarmaken.

Later die avond had vader het er met hem over. Ze waren klaar met eten en hij bleef aan tafel zitten. Intuïtief wist Pieter dat hij ook maar beter kon blijven zitten. Vader schoof zijn stoel wat achteruit en sloeg zijn benen over elkaar. Zijn geliefkoosde pose als er nog iets te bespreken viel.

'Ik hoorde dat je een vriend hebt.' Vaders stem had een zachte, warme klank en toch was Pieter op zijn hoede.

'Ja. Hij heet Rachid. We kennen elkaar nog niet zo lang.' Vader knikte bedachtzaam en schraapte zijn keel. 'Waarom heb je ons daar nooit iets over verteld? Je hebt een vrije opvoeding gekregen. Alles was bespreekbaar. Je kon steeds bij ons terecht. Met moeilijkheden, problemen, noem maar op. Nu blijk je ineens een vriend te hebben.'

Pieter verdedigde zich: 'Zo ineens is het niet gekomen. Ik heb er behoorlijk lang mee in de knoop gezeten.'

Dat was het net wat vader bedoelde. 'Had er dan toch over gepraat. Dat had je een boel stress bespaard!'

Pieter zuchtte. 'Hoe kan ik nu iets uitleggen wat ik zelf niet begrijp. Ik moest er zelf eerst uitkomen!'

Daar kon vader inkomen. Pieter vroeg zich af of er nog iets zou volgen. Hij begreep dat moeder vanuit de keuken de conversatie volgde. Ze had vader op de hoogte gebracht en zo het pad een beetje geëffend.

'Kijk, jongen, dat je een vriend hebt...' Vader haperde kort maar ging dan vastberaden verder. 'Dat je een vriend hebt, maakt voor ons niets uit. Als je dat zo voelt en het maakt je gelukkig, dan respecteren we dat. Maar om nu als een stel kabouters in het bos te gaan dollen bij min twintig?! In vredesnaam, Pieter, wat een achterlijk idee.'

Pieter liet het over zich heen gaan.

'Je hoeft ons echt niet alles te vertellen hoor. Je mag je recht op privacy laten gelden. Je bent zestien. Dat je met hem alleen wil zijn, snap ik best. Maar dan liever hier dan buitenshuis. We leven toch niet in de middeleeuwen. Dit huis is net zo goed het jouwe.'

Hij stond op, gaf Pieter een schouderklopje en schoof voldaan de stoel onder tafel. Daarmee was het gesprek afgelopen. De staande klok tikte onverstoorbaar verder. Vader greep de weekendkrant en ging op de bank zitten. Pieters blik liep over van ongeloof.

'Ik meen het. Richard is hier meer dan welkom,' zei hij toen hij Pieters verbaasde gezicht zag. Hij bladerde naar de sportpagina's.

'Rachid!' verbeterde Pieter een beetje aangeslagen.

'Rachid! Vreemde naam,' vond vader. 'Klinkt een beetje Marokkaans.'

'Dat is het ook, hè Pieter,' mengde moeder zich in het gesprek. Ze kwam binnen met een kan verse koffie en schonk een beker voor Pieter in. Zij en vader namen altijd een kopje met een schoteltje. Maar Pieter vond een beker veel leuker. Je kon er je handen omheen vouwen tot ze bijna verschroeiden. Vader wilde het journaal zien. Terwijl de beelden over een verre oorlog en nabije politiek aan hem voorbij trokken, slurpte hij zijn koffie op. Er marcheerden soldaten over het scherm, er zwaaiden presidenten en prinsessen naar hem. Hij zag kapot geschoten huizen en dode mensen liggen.

'Ze heeft haar haar laten knippen,' zei moeder toen de omroepster na het nieuws in beeld kwam. 'Ze ziet er jonger uit.' Het nieuwe kapsel kondigde een reeks zeer interessante programma's aan die je zeker niet mocht missen.

Pieter sprong overeind en schonk zichzelf nog een beker koffie in.

'Ik neem nog wat mee naar boven. En een koekje.' Hij knipoogde naar moeder. Met een dampende beker en de halve inhoud van de koekjesdoos klom hij de trap op. 'Is alles in orde?' hoorde hij vader nog vragen. Ze zouden beneden wel krijgsraad houden. Moeder maakte zich er zorgen over. Dat voelde hij. Op haar werk had ze een jaar of drie geleden iets meegemaakt. Thuis had ze er in geuren en kleuren over verteld. Een Turkse jongen, Omar heette hij, had iets met een Belgische jongen. Toen de vader van Omar erachter kwam, had hij zijn zoon afgeranseld. De jongen was van huis weggelopen en zocht bij haar op de sociale dienst zijn toevlucht. Ze schrok toen hij bij haar binnenkwam, hij was bont en blauw geslagen. Relaties tussen twee jongens werden bij moslims niet geduld. Pieter had het toen een vreemd verhaal gevonden. Toch was het blijven hangen. Moeder zou vast met een hele rits bezwaren komen, die vader lachend weg zou wuiven. Vader zag blauwe luchten, terwijl moeder steeds weer donderwolken voorspelde.

In gedachten verzonken lag hij op bed de gebeurtenissen te verwerken. In het donker. Hij keek door het raam naar de sterren. Dat deed hij vaak wanneer hij orde in zijn hoofd moest brengen. Pieter stond voor een dilemma. Moest hij Rachid iets vertellen? Pieter was blij dat zijn ouders het wisten. Dat gaf hem een fijn gevoel. Maar de vraag was: hoe zou Rachid hierop reageren? Die was zo ontzettend bang. Niemand mocht het weten. Liet hij Rachid in het ongewisse, dan ontstond er geen heibel. Aan de andere kant was vaders voorstel ook niet te versmaden. De mogelijkheid om thuis af te spreken zinde hem wel. Verlaten plekken opzoeken hoefde dan niet meer. Ze konden niet eeuwig naar het bos. Hij zou het er maar op wagen en bellen. Het was pas kwart over negen, dus het kon nog. Zo vroeg ging niemand slapen en Rachid zeker niet. En indien wel, dan moest hij zijn mobieltje maar uitzetten. Hij greep zijn telefoon en zocht Rachids nummer.

Rachid was razend. Woedend stuurde hij een eindeloze reeks verwijten Pieters kant op. Hij begreep niet hoe Pieter dat allemaal zo losjes had kunnen vertellen. Die had al zijn overredingskracht nodig om Rachid tot bedaren te brengen. Hij overtuigde Rachid dat zijn ouders discreet waren. Dat ze het nieuws echt niet aan de grote klok zouden hangen. Pieter somde een hele reeks voordelen op. Daarmee dacht hij Rachid over te halen. Toch stond die niet te springen voor het idee.

'Je bent getikt, man,' voer hij uit. 'Bij vreemde mensen aan huis komen! Om te liggen rommelen!'

'Vreemde mensen!' gilde Pieter verontwaardigd. 'Kom-aan man, het zijn mijn ouders.' Bij elk argument dat Pieter inbracht, brokkelde Rachids weerstand verder af. Hij snapte echt wel dat het anders moest. Elke week in dat vervloekte, koude bos gaan zitten was ook geen oplossing. En de winter moest nog beginnen. Aan de andere kant was Rachid bang en ongerust. Tenslotte kende hij Pieter nog niet zo lang. Wist hij veel of die ouders te vertrouwen waren. Daar kwam nog bij dat Rachid niet zo vlot was in de omgang. Zijn vader kon zonder problemen met iedereen een praatje maken. Maar zelf wist hij tegen onbekenden nooit wat te zeggen. En op vreemd terrein sloeg hij helemaal dicht. Het lekkerst voelde hij zich thuis en het liefste nog zat hij over zijn tekentafel gebogen, met een muziekje op de achtergrond. Misschien moest hij Pieters voorstel wel overwegen, maar het feit dat Pieters ouders op de hoogte waren zat hem dwars.

6

Shampoo en gel

Het warme water spoelde het schuim van zijn lichaam. Het brandde onder zijn oogleden. En hij gebruikte nog wel baby-shampoo. Rachid had hem er al dikwijls om uitgelachen. Op het etiket stond toch duidelijk 'prikt niet in de oogjes'. Hoe werd dat spul trouwens getest? Door het rechtstreeks in de oogjes van zuigelingen en baby's te gieten? Enfin, je ging er niet dood van. Maar hij beklaagde onmondige peuters.

'Aau!' Iemand kletste op zijn billen. Bliksemsnel draaide hij zich om en keek in het lachende gezicht van Rachid.

'Je bent laat,' zei Pieter. 'Een kwartier heb ik gewacht. Toen ben ik zonder jou begonnen. En nu is het alweer een half uur later.'

Rachid sprong onder de douche en gooide koude druppels over Pieters rug.

'Hou op,' gilde Pieter.

'Je bent een watje,' spotte Rachid. 'Kijk mij!' Manmoedig trotseerde Rachid de koude straal. Dat deed hij altijd voor het zwemmen. Zijn zuidelijk bloed afkoelen, noemde hij dat. Dan voelde het water in het zwembad lekker warm.

'Wacht je op mij?'

Pieter hoorde het in Keulen donderen. Wat dacht die kerel nu? Drie kwartier te laat komen en hem dan nog een half uur laten wachten. Pieter tikte tegen zijn voorhoofd. 'Jij ziet ze vliegen zeker?'

Rachid zette een onschuldig gezicht.

'Toe?' Het klonk smekend. Die jongen kon zo meelijkwekkend kijken.

'Nee,' hakte Pieter de knoop door. 'Ik kom je straks bij de uitgang opwachten. Dan wandel ik een eind met je mee. We kunnen ook eerst nog iets drinken...'

Rachid schudde het water van zich af en keek glunderend naar Pieter. 'Fijn. Ik wacht op je in de cafetaria, hierboven. Tot zo!' En voor hij nog iets kon zeggen liep Rachid naar het bad en verdween met een sierlijke duik kopje onder. Sinds anderhalve maand gingen ze op dinsdag samen zwemmen. Ze gingen extra vroeg, meteen na school. Want later op de avond kwamen de recreatiezwemmers zoals Pieter ze noemde. En dan was het moeilijk baantjes trekken.

Pieter droogde zich af en wurmde zich in zijn kleren. Dat vond hij altijd een hele opdracht. Die snerthokjes waren zo klein. Claustrofobie kreeg hij ervan. Met een zucht van opluchting klapte hij het deurtje open en ging voor de spiegel staan. Hij kneep een flinke dosis gel uit de tube en smeerde het in zijn lange haar. Hij lachte. Het zag er niet uit. Duchtig begon hij te kneden en te boetseren en langzaam kreeg zijn haardos het gewenste model. Zo kon hij de straat wel op, vond hij en hij keilde de tube in zijn tas. De grote hal, met op de eerste verdieping de cafetaria, werd door een dikke, glazen wand van het bad gescheiden. Pieter bleef staan en zwaaide naar Rachid die voorbij liep op weg naar een startblok. De haartjes op zijn armen en dijen plakten tegen zijn huid. Nat van het water leek hij wel een marmeren beeld. Met gebogen benen en met de handen aan de rand stond hij klaar.

Als een pijl schoot hij het water in, met gestrekte armen, het hoofd tussen de schouders. Wat was hij knap met zijn eeuwig bronzen kleur. Spierwit vond Pieter zichzelf, een melkmuil. Zelfs in de zomer bleef hij een bleekscheet. Alsof de zon hem negeerde. Maar net die bleke huid vond Rachid zo mooi. Ach, zolang ze in elkaar vonden wat ze zochten was het oké. Pieter liet zijn dagdromen voor wat ze waren en dwong zichzelf tot de orde van de dag. Moeder had hem gevraagd een pakje naar tante Nellie te brengen. Van het zwembad naar tante Nellie en terug. Dat werd fietsen tegen de klok. Er was haast bij, wilde hij de afspraak met Rachid halen. Hij fietste als bezeten.

7

Appeltaart

Het wijsje van Big Ben was tot op straat te horen. Wie neemt nu in godsnaam zo'n maffe bel. Echt iets voor tante Nellie. Zij had een zwak voor Londen en alles wat daarmee te maken had. Twee maal per jaar trok ze naar de Engelse hoofdstad om er uren door drukke winkelbuurten te slenteren. Niks voor hem. Hij wiste het zweet van zijn voorhoofd. Het hielp niet, want de poriën persten nieuwe druppeltjes naar buiten. Zijn neef William kwam openmaken.

'Hoi man, kom erin.' Ze begroetten elkaar met een uitbundige omhelzing. Op enkele weken na waren ze even oud en ze waren bijzonder op elkaar gesteld. William leek in niets op Pieter. Breedgeschouderd, donkerbruin haar tot op de schouders, een diepe, sonore stem.

'Een zonnetje in huis,' noemde tante hem. Daar had ze gelijk in, volgens Pieter. Maar William kreeg het daar steeds op zijn heupen van. Hij werd prikkelbaar wanneer zijn moeder hem prees waar anderen bij waren. Maar anders was hij zelden humeurig en altijd bereid te helpen. Zeker nu. Bij het schoonmaken was tante al dweilend achteruit gestapt en over een vergeten plasje zeepsop uitgegleden. Haar voet was op twee plaatsen gebroken. Zes weken in het gips en volstrekte rust, luidde het verdict van de dokter. Ze zou een hele tijd niet naar de dansles kunnen. Ze was al jaren actief lid van de volksdansgroep in de buurt en ze sloeg geen enkele bijeenkomst over. Maar ze was er de vrouw niet naar om hele dagen te kniezen. Er lagen stapels boeken te wachten en daar kon ze nu eindelijk aan beginnen. Ook kruiswoordraadsels loste ze op dat het een lieve lust was. En de meest ingewikkelde patronen zette ze moeiteloos op haar breinaalden. Intussen nam William een deel van het huishouden over. Vanuit haar gemakkelijke ligstoel gaf ze instructies die William onverstoorbaar naast zich neerlegde.

'Als je beter bent doe je het weer op jouw manier. In afwachting gebeurt het zoals ik het wil en daar moet je vrede mee nemen. Je doet je ogen maar dicht als je het niet wilt zien.' En hij ging rustig door met zwabberen. Goddank staken de buren ook een handje toe. Die deden boodschappen wanneer William naar school moest. En zo nu en dan kwam Pieters moeder langs met iets lekkers: een koude schotel, verse groentebouillon of gehaktballetjes in tomatensaus. Vandaag was ze een dagje met collega's naar Brussel. Ze wilde het best afzeggen, maar tante wou daar niet van weten. Nu kwam Pieter in haar plaats een verse appeltaart brengen. Die zat helemaal onderin zijn tas. Onder de natte handdoek en zijn zwembroek. Maar het gebak zat netjes in aluminiumfolie verpakt, dus veel kwaad kon het niet. Tante was bezig in een boek. Een dikke pil van ruim driehonderd pagina's.

'Veel tijd heb ik niet hoor. Ik heb nog een eh... iets te doen.' Pieter kon niet liegen. Deed hij het toch, dan begon hij te blozen.

'Alles oké met Rachid?' Soms leek het of tante gedachten kon lezen. Hij kleurde. Het was moeilijk over Rachid te spreken. Of eigenlijk meer over hun... Wat was het nu? Een relatie? Een intieme vriendschap. Zijn neef kwam hem te hulp. Dat was maar goed ook.

'Hebben jullie ruzie?' Typisch William. Zonder omwegen, rechttoe rechtaan.

'Ruzie? Nee, helemaal niet.' Pieter kon het zich niet voorstellen. 'Nee, helemaal niet. Het gaat heel goed. Het enige...' Pieter haperde. 'Voor Rachid is het... Ik bedoel niet dat... Ik vind... Het is zo... zo vrijblijvend.' Zijn woorden hingen als los zand aan elkaar.

'Je bent bang dat hij niet evenveel van jou houdt als jij van hem.'

Pieter stond versteld. William legde de vinger op de wonde.

'Jij moet psycholoog worden,' zei hij.

William rilde. 'Brrr. Dan krijg ik allemaal probleemgevallen over de vloer.'

Pieter grijnsde en gooide zijn jas uit. Hij had het al warm en binnen heerste ook nog eens een saunatemperatuur. Dat was te veel van het goede.

William nam de draad weer op: 'Kennelijk voelt hij zich goed bij jou. Anders zocht hij jouw gezelschap niet. Misschien ga je te snel voor hem. Verwacht niet te veel en geniet van de momenten samen.'

Dat was het nou net. Pieter verwachtte veel. In ieder geval meer dan nu! Meer samen, meer vrijen, meer weg, meer plezier. Van alles meer! Terwijl Rachid de boot af hield. Pieter moest zijn hart luchten.

'Alles moet achter gesloten deuren. Alsof we misdadigers

zijn. Hij is zo bang voor wat de mensen denken. Voor mijn part kunnen de mensen de boom in,' klaagde hij. 'Als hij bang is zal er wel een reden voor zijn,' mengde tante zich in het gesprek. Ze klapte het boek dicht en zette haar bril af. 'Niet iedereen heeft ruimdenkende ouders. Jij treft het hoor. Rachid is bij jullie welkom. Dat spreekt misschien vanzelf, maar bij heel wat mensen zou dat anders liggen.' Zijn tante had meer dan gelijk. Hij zou Williams raad maar opvolgen.

'Komaan,' vermaande hij zichzelf, 'wees eens wat opgewekter.' Zo meteen ging hij met Rachid iets drinken. Terwijl hij een half jaar geleden nog zat weg te kwijnen van eenzaamheid.

8

Studie

Als een gek fietste Pieter van tante Nellies huis terug naar het zwembad.

'Ik lijk wel een koerier,' dacht hij bij zichzelf toen hij daar aankwam. Buiten adem sprong hij van zijn fiets, zette die met een flinke zwaai tegen de muur en maakte hem vast aan de regenpijp. Het mocht niet, stond er op een bordje. Maar hij deed het elke week en het gebouw was nog niet ingestort. Zo erg zou het dus wel niet zijn. Hij rende naar binnen en spurtte de trap op naar de cafetaria. Van achter de zware, glazen deur zag hij dat Rachid ongeduldig met zijn vingers op tafel zat te roffelen.

'Sorry, tante had een boel te vertellen. En jij was daarstraks ook te laat. Drie kwartier zelfs. Ik stond bijna wortel te schieten. Nu staan we quitte. Je kunt me niets verwijten, trouwens je moest het eens proberen,' draafde Pieter in één adem door en hij liet zich op de bank vallen. Rachid keek hem verbluft aan. 'Ik mopper toch niet.'

'Je hebt ook geen reden,' kaatste Pieter de bal terug. Er flakkerden vlammetjes op in Rachids ogen.

'Zie je die zwarte zwembroek lopen?' Pieter kon er moeilijk naast kijken. Een atleet, zo weggelopen uit een sportmagazine.

'Wel,' plaagde Rachid en hij leunde zelfvoldaan achterover, 'die knipoogde naar mij toen we langs elkaar liepen.'

'Als je het maar niet in je hoofd haalt,' waarschuwde Pieter. 'Of ik laat mijn naam in koeien van letters op je rug tatoeeren.'

'Dan zul je me eerst moeten vastbinden,' treiterde Rachid.

'Ik zal het overwegen,' beloofde Pieter en onder tafel drukte hij zijn knie tegen die van Rachid. 'Vertel liever eens waarom je daarstraks zo laat was. Dat ben ik echt niet van je gewend.' Rachid vouwde zijn handen in zijn nek.

'O man, dit is fantastisch nieuws!' Hij lachte zijn witte tanden bloot. 'Gisteren had ik een gesprekje met de tekenleraar op school. Een supertoffe gast, echt waar. Na de les vroeg hij wat ik na school wou gaan doen. Ik vertelde hem dat ik graag architect wil worden. Maar ook van de situatie thuis. We zijn niet meteen armoezaaiers, maar we hebben ook geen stapels bankbiljetten in de kast liggen. Maar volgens hem kan ik zo' – Rachid knipte met zijn vingers – 'een studiebeurs krijgen. Hij vroeg of hij eens mocht langskomen. Ik zei dat ik het thuis zou vragen, maar dat het geen probleem zou zijn. Vandaag is hij al geweest, meteen na school. Mijn ouders waren eerst ongerust. Die dachten dat ik iets uitgespookt had. Maar er was geen reden tot paniek, verzekerde hij. Nee, hij kwam een keertje op bezoek om het over mijn toekomst te hebben. Eens horen wat ik na school van plan was. Man, die kerel kan praten als een advocaat.'

'Uw zoon is een zeer intelligente jongen.' Mijn moeder verstond het niet, vader moest vertalen. Ze glom van trots.

Na een kwartier was alles in orde. Ik mag gaan studeren. Ik word architect! Stel je voor, ik! Zie je het al staan op mijn adreskaartje? Rachid Mhalami, Architect!'

Rachid was door het dolle heen. Hij straalde. Pieter wist hoeveel dit betekende en gunde het hem van harte. Zelden had hij Rachid zo opgewekt gezien als nu.

'Voor mijn vader is het natuurlijk een flinke aderlating. Hij droomt al zo lang van een bedevaart naar Mekka. Nu hij die peperdure studies moet betalen, zal hij dat plan wel moeten laten varen. De eerstvolgende jaren in ieder geval. In de vakanties ga ik een baantje zoeken. Dan verdien ik ook al wat.' Rachid droomde weg en scheurde een bierviltje doormidden. 'Je had ze moeten zien, Pieter, m'n ouders. Apetrots waren ze. Ik ga studeren, dag en nacht als het moet.' Hij hield zijn hoofd schuin en bleef dat een hele tijd volhouden. Dat vond Pieter een vreemd gezicht.

'Scheelt er iets?'

''k Heb water in mijn oor. Het wil er maar niet uit.'

'Prik een gaatje in je andere oor. Dan loopt het er zo uit. In de fysicales geleerd.'

Dat leverde hem een vernietigende blik op van Rachid. Maar Pieter plaagde rustig verder.

'Hou er dan maar een emmer onder. Want volgens mij zit je hele hoofd vol!'

'Stik!' Toch kon Rachid een glimlach niet verbergen. Pieters vrolijkheid was onschuldig. Rachid kon het best hebben, hij was in een opgewekte bui.

'Ik geef alleen maar een goede raad,' bromde Pieter quasibeledigd. 'Het is ook nooit goed.'

9

Conflict

Eind februari. Aan de winter scheen geen eind te komen. Het had meer gevroren en gesneeuwd dan andere jaren. Toen Pieter thuiskwam, zat Rachid al te wachten. 'Hij liep te ijsberen voor het huis,' lichtte moeder hem in. 'IJsberen in dit weer is geen kunst,' mopperde Pieter. 'Waarom bel je niet gewoon aan?' 'Dat heb ik hem ook gezegd,' viel moeder haar zoon vanuit de keuken bij. Rachid vond het niet leuk dat Pieters moeder meeluisterde. Ze trokken naar boven. 'Sorry dat ik te laat ben,' zei Pieter tegen Rachid die achter hem aan de trap op klauterde. 'Je krijgt meteen iets lekkers. Om het goed te maken.' Rachid schopte zijn schoenen uit en viel neer op bed. 'Fijn. Laat maar komen dan.' Hij sloot zijn ogen en genoot bij voorbaat. Hij voelde Pieters lippen op de zijne. 'In het vervolg bel je aan,' waarschuwde Pieter tussen twee zoenen in. Rachid liet hem altijd met een sms-je weten dat hij op komst was. Dan zorgde Pieter dat hij klaar stond om de deur open te doen. Rachid had er een gloeiende hekel aan als Pieters moeder hem binnen liet. Ze probeerde dan een gesprek aan te knopen. Gruwelijk vond hij dat. Nu had Pieter een berichtje gestuurd dat hij voor tante Nellie dringend een boodschap moest doen en dus later zou zijn. Rachid had het niet gewaagd aan te bellen en hij was voor het huis blijven wachten.

'Je oom mag anders ook wel een handje toesteken,' morde Rachid.

'Die is er niet.'

'Overleden?'

'Nee. Tante is een alleenstaande moeder. Daar heeft ze bewust voor gekozen.'

Rachid klakte met zijn tong. 'Dat is dom.' Pieter keek op. 'Wat bedoel je?'

'Wel,' begon Rachid terwijl hij zich op zijn zij draaide. 'Hiermee verkijkt ze elke kans op een huwelijk.'

'Meen je dat nu?' Pieter kon met moeite zijn verbazing verbergen.

'Tuurlijk. Het is ook zondig volgens de Koran.' Dat was een gok, want Rachid wist niet zeker of het wel degelijk zo in de Koran stond. Maar Pieter was op zijn tenen getrapt.

'Tante Nellie heeft die beslissing zeer goed overwogen. En geen moment heeft ze er spijt van gehad.' Hij begon zich op te winden.

'Een kind zonder vader kan nooit evenwichtig opgroeien,' verdedigde Rachid zijn standpunt. 'Alsof William niet goed terechtgekomen is,' stoof Pieter op.

'Dat zeg ik niet. Al geloof ik dat het beter is twee ouders te hebben,' hield Rachid koppig vol. 'Een kind heeft een vader nodig.'

'Wat een achterlijk idee,' viel Pieter uit. Er zat ruzie aan te komen, maar de reputatie van zijn tante stond op het spel. 'Wat als jouw moeder weduwe was geworden?'

Rachid ging rechtop zitten. 'Dat is iets anders. Wie alleen komt te staan heeft dikke pech. Maar jouw tante koos ervoor. Bij ons is zoiets onaanvaardbaar.'

Pieter was ontstemd en smalend zei hij: 'Typisch! Je kiest naargelang het jou uitkomt. En als een strafpleiter citeer je de Koran naar eigen goeddunken. O, wat het is makkelijk leven in twee werelden. Dat levert je alleen maar voordeel op.' Pieter schrok van zijn eigen woorden. Het was eruit voor hij het besefte. Dat was een regelrechte aanval en de sfeer was naar de bliksem. Hij wou het goedmaken, maar wist niet hoe. De stilte trok een scheiding. Als versteend bleef hij zitten en keek hij toe hoe Rachid zijn schoenen weer aantrok. Zonder groeten en verder af te spreken ging hij weg.

10

Verzoening

Rachid vertikte het te bellen. Daar was hij te trots voor. Hij vroeg zich af of het ooit nog goed kwam tussen hen. Misschien had hij vorige week niet zo halsoverkop moeten weggaan. Maar nu met hangende pootjes teruggaan? Nee, dat deed hij niet. Hij was zelfs niet gaan zwemmen, dinsdag. Om vervelende vragen van zijn moeder te vermijden was hij in de stad blijven rondhangen. Hij hoopte dat Pieter zou bellen, want hij miste hem. Waarom hield die sukkel er altijd zulke idiote ideeën op na. Dat die gekke tante van hem kinderen kreeg zonder te trouwen, was tot daar aan toe. Maar om haar ook nog te verdedigen? Dat schoot bij hem in het verkeerde keelgat. Hij kende wel meer alleenstaande vrouwen met kinderen. Best aardige mensen, daar niet van. Maar ze moesten hem niet om zijn mening vragen. Het strookte niet met de islamitische leer. Het was openlijk zonde bedrijven. Nu beging iedereen op zijn tijd wel eens een misstap. Hijzelf was ook geen heilige, maar hij deed zijn best. Ging naar de moskee, bad... nu ja... toch vrij regelmatig. Hij kon zichzelf weinig verwijten. Behalve dan zijn omgang met Pieter. Dat zat hem soms dwars. Het zou wel niet echt zondig zijn. En zolang niemand het wist... Maar die tante van Pieter, die kwam er zomaar mee naar buiten dat ze alleenstaande moeder was. Alsof ze er trots op was. Terwijl Pieter... Ach, stik, wat kon hem die tante schelen! Hij wou Pieter! Hier! Nu! Meteen! Waarom belde die kerel nu niet?

Maar Pieter van zijn kant, dacht precies hetzelfde. Waarom liet Rachid niets van zich horen? Een klein berichtje volstond. Op die manier bleef het vijf dagen ijzig stil aan beide kanten. Een koppig volharden in boosheid. Instinctmatig voelde Pieters moeder dat er iets tussen hen beiden gebeurd was. Ze had een vaag vermoeden, maar stelde opzettelijk geen vragen. Anders hielp ze haar zoon weer op weg. Een weg die volgens haar niet de juiste was. Op lange termijn was deze liefde kansloos. Maar welk recht had ze dit prille geluk te torpederen. Maar Pieter had het makkelijker gevonden indien ze iets zou zeggen. Of op zijn minst een hint zou geven, zodat hij de eerste stap niet hoefde te zetten. Maar zijn ouders waren duidelijk geweest. Als er problemen waren, moest hij ze zelf op tafel leggen. Dat was de afspraak.

Het was vrijdagavond. Een week had Pieter niets van Rachid gehoord. Pieter nam als eerste het initiatief en belde op. Het werd een kort gesprek.

'Hoi... Ja, alles oké. Met jou? Zeg eh... kunnen we nog eens afspreken?' Ze spraken af in 'hun koffiehuis zonder naam'. Ze waren 'Le Rossignol' maar zo blijven noemen. Het weerzien verliep eerst een beetje stroef. Ze wisten niet zo goed wat ze moesten zeggen en lachten hun onwennigheid weg.

'Ik heb me zo afschuwelijk rot gevoeld de afgelopen dagen,' biechtte Pieter uiteindelijk op. 'Wat ik zei kon niet door de beugel. Daar heb ik dik spijt van. En je had alle recht om boos te zijn.'

Rachid luisterde, maar knipperde nerveus met zijn ogen. 'Ach, ik heb het ook wel uitgelokt. Ik ben een heethoofd en opgeven doe ik niet.' Het ijs was gebroken.

'En,' ging hij verder zonder af te wachten, 'je had gelijk. Ik kies altijd de makkelijkste oplossing. Dat besef ik. Maar het uit je mond horen, kwam hard aan.'

Pieter wou zijn hand vastpakken maar hield zich in. 'Ik had het knap lastig met het feit dat je mijn tante en William zo afkamde.' Daar had Rachid een uitleg voor.

'Bij ons is zoiets ondenkbaar. Bij jullie kan het wel. Met één been sta ik in jouw wereld en met het andere in die van mij. Vind dan maar eens een evenwicht.'

Ze spraken af in het vervolg beter hun best te doen. Meer rekening te houden met elkaar. Dan kwam alles vanzelf goed. Het incident was van de baan en de warme chocolademelk smaakte des te beter. De toekomst zag er prachtig uit. Zolang Pieter maar rustig bleef en rekening hield met Rachid. Pieter keek kritisch rond. Ze zaten achterin. Sinds hun eerste afspraak was Pieter nooit meer aan het raam gaan zitten. Hij legde zijn armen op de leuningen. Het leek wel een troon waar hij op zat. Zo kolossaal was die stoel. Het was Pieter al eerder opgevallen. Stom eigenlijk. Wie zet er nu zo'n immense stoelen in een kleine ruimte. Goed voor hen natuurlijk, maar het kon economischer.

De weken vlogen voorbij. Naast het zwemmen op dinsdag gingen ze in het weekend naar de film. Bij droog weer sprongen ze op de fiets. Op een keer hielden ze een wedstrijd. Ze reden van een hoge heuvel naar beneden. Het ging vanzelf.

'Wie het eerst beneden is!' gilde Pieter.

'Pfoeh, makkelijk genoeg,' gilde Rachid terug. Maar het was best gevaarlijk. Sneller en sneller ging het. 'Jakkes, nu een kiezelsteentje onder mijn band en ik ga over de kop.' Rachid hield zijn handen aan de remmen. Maar Pieter gaf niet op. Integendeel. Over het stuur gebogen ging hij steeds harder. De wind sneed vlijmscherp in zijn gezicht. Hij wist dat wie als laatste de remmen aantrok als eerste over de meet kwam.

'Dit is je reinste halsbrekerij,' tierde Rachid en hij minderde vaart. Pieter denderde verder over de kasseien tot hij beneden was en bleef daar op Rachid wachten.

'Mooie renner ben jij,' zei hij toen Rachid kwam aanrijden. 'Opgeven net voor de finish!'

'Je bent knettergek,' raasde Rachid.

Pieter lachte en veegde de druppel die aan zijn neuspunt bengelde weg met de rug van zijn hand. 'Het leven is aan de durvers. Wie niet waagt, die niet wint. Geef toe dat ik een betere renner ben dan jij.'

'Je gaat harder omdat jouw fiets lichter is. En je weegt ook niet zoveel als ik.'

'Dan had je sneller beneden kunnen zijn. Leer je dat niet in de fysicales?'

'Toch wel, maar ik ben mijn leven niet beu, hoor. Stel je voor dat je gevallen was. Wat dan? En jij met je fysicales altijd.'

'Ik ben toch niet gevallen, brompot. Je lijkt mijn moeder wel. Kom we gaan even rusten.'

Even verder gingen ze in de berm zitten om een broodje te eten.

'Of wil je liever een wafel,' vroeg Pieter.

'Geef mij maar een broodje én een wafel,' antwoordde Rachid. 'Ik scheur van de honger.' Ze namen er ook nog een reep chocolade bovenop. Dat gaf extra energie. Die hadden ze broodnodig, want ze moesten het hele eind ook nog terug.

'Moeten we nu die helling weer op?' wilde Rachid weten.

'Tenzij we een grote omweg nemen,' zei Pieter.

Rachid zuchtte, waarop Pieter zijn laatste restje plaagvenijn afvuurde.

'Je hebt het renner-zijn niet in de benen.'

'Nee,' gaf Rachid lachend toe terwijl hij op zijn fiets klauterde, 'dat is waar. Ik moet het meer van mijn verstand hebben.'

Hij gaf een verblufte Pieter het nakijken. De terugtocht verliep een stuk langzamer. Racen met een volle maag zagen ze niet zitten.

Enkele keren stelde Pieter voor om samen met William en zijn vriendin Sara op stap te gaan. Maar daar wou Rachid echt niets van weten. Hij ontweek elke ontmoeting en dat vond Pieter jammer. Komedie spelen was niets voor hem. Op een middag gaf hij lucht aan zijn gevoelens.

'Je zegt dat je van me houdt maar hoe weet ik dat?' Rachid zette een gezicht op van 'daar gaan we weer'. Maar Pieter liet zich niet uit het veld slaan.

'Dat verstoppertje spelen is niets voor mij. Het lijkt of onze relatie het daglicht niet mag zien. Knuffelen en vrijen doen we alleen hier op mijn kamer.' Waarop Rachid informeerde of Pieter wou liggen rollebollen op de Grote Markt.

Pieter speelde even met het idee en moest glimlachen. 'Nee, maar ik wil wel eens je arm om mijn schouder, of je een zoen geven. Geen geil gedoe! Een kleine attentie. Meer niet.'

Van dat soort discussies kreeg Rachid het op zijn heupen. Hij nam Pieters kladschrift en scheurde er onder luid protest een pagina uit. 'Alsof jij ooit iets in het klad maakt. Jij bent zo slim dat je alles meteen goed hebt.'

'Streel je mijn ijdelheid,' wou Pieter weten. Rachid knikte overtuigd. 'En hou nu eindelijk op met zeuren. Ik moet me concentreren.' Hij greep een potlood van het bureau en begon achteloos te schetsen. Pieter keek dromerig naar buiten.

'Iedereen loopt koppeltjesgewijs hand in hand. Alleen wij niet! Ik zou zo graag met jou willen pronken.'

'Lieve help! We kennen elkaar pas en jij wil al een wasmachine kopen en gaan samenwonen.'

'Nee, dat niet meteen. Hoewel ik niet nee zou zeggen,' gaf Pieter mild toe.

'Straks wil je ook nog kinderen!' spotte Rachid.

Pieter kon zijn afkeer niet verbergen. 'Kinderen wassen en verschonen... Lieve help, nee. Tenzij jij dat doet.'

Rachid stak zijn tong uit. 'Ik ben heel graag bij je. Maar snap nu toch voor eens en voor altijd dat ik geen kant op kan. Mijn vader slaat me kreupel als hij het ontdekt.'

Pieter zuchtte ontmoedigd. 'Ik heb het daar moeilijk mee. Maar William heeft je een hele tijd geleden al verdedigd.'

Rachid keek heel verbaasd. Dat was steun uit onverwachte hoek.

'Ja,' verzekerde Pieter. 'Hij zei me geduld te hebben. En begrip. Dat respect voor je vader, daar heeft hij bewondering voor. Hij zou het ook hebben. Mocht hij een vader hebben. Dus je hebt er ongewild een bondgenoot bij.'

Rachid keurde zijn kunstwerkje, verfrommelde het en keilde het netjes in de prullenmand.

'Je neef is een wijze rakker. Jammer dat het niet in de familie zit. Misschien moeten we toch maar eens iets gaan drinken met zijn allen.'

Pieter moest het even verwerken. Dat was een onverwachte meevaller. Wauw, hij kon wel juichen van geluk.

Rachid moest gaan. Hij trok zijn trui aan en drukte zijn vriend een lange, lieve zoen op de mond. Toen Rachid weg was, viste Pieter de prop uit de mand. Hij streek de kreukels glad en werd stil. Met luttele lijnen en een paar eenvoudige schaduwen had Rachid Pieters portret op papier gezet. Eenvoudig, maar treffend. Pieter was ontroerd. Dit was iets om in te lijsten. Die avond liet hij het aan moeder zien. Ook zij was onder de indruk.

'Het is een bijzondere jongen.' Ze meende het.

11

Reflecties bis

Rachid wandelde naar huis. In gedachten verzonken. Bij Pieter thuis ging alles zo makkelijk, een beetje 'te' zelfs. Je kon het moeilijk een geregeld huishouden noemen. 'Hé Rachid, doe maar alsof je thuis bent,' riep Pieters moeder en dan liet ze hem alleen. Met die onverschilligheid had hij het moeilijk. Hij wist er zich nooit raad mee. Moest hij dan gaan zitten? En zo ja, waar? Op een stoel aan tafel of op de sofa? Of op een kruk? Laatst zei ze: 'Als je dorst hebt, neem dan gerust iets uit de koelkast.' Hij wist niet wat hij hoorde! Zoiets zou zijn moeder nooit doen. Gasten liet ze nooit aan hun lot over. Altijd stond ze klaar om hen op hun wenken te bedienen. Ze werkte zich uit de naad om een goede indruk te maken. Wel honderd keer vroeg ze of ze dorst hadden, of honger. Het was bij hen ook steeds kraaknetjes. Bij hen was gastvrijheid een heilige plicht. Maar bij Pieter thuis was het behelpen. Er lag meestal een krant op de bank. Soms stonden er een paar vuile koppen op tafel. Bij momenten ging het er chaotisch aan toe. Met Pieter in de buurt wist hij zich wel te redden. Maar in z'n eentje sloeg hij altijd zo'n mal figuur. Bij hem thuis werden strikte regels nageleefd en gerespecteerd. Het maakte alles een stuk eenvoudiger en duidelijker. Je wist precies wat je te doen stond. En dan had je ook nog eens de voorschriften van de Koran. Zijn vader was streng religieus.

Hij noemde zich 'een dienaar van Allah'. Elke dag las hij in het Heilige Boek. Tijdens het weekend werd de gebedskalender stipt gevolgd. Dan was vader thuis en kwam Rachid er niet zo makkelijk onderuit. Vijf keer werd er gebeden. Per dag! Dat vond Rachid een hele opgave. Hij sprong dan ook heel wat vrijer om met al die wetten en regels. In de week sloeg hij zonder schroom een gebed over. Allah zou wel een oogje dichtknijpen. Die kon onmogelijk alle gelovigen in de gaten houden. Hij was benieuwd wat Pieter van al die gebruiken zou vinden. Hij had er hem nooit iets over verteld. Pieter had er ook niet naar gevraagd. Aan de andere kant vonden Pieters ouders het geen probleem dat hij langskwam. Het kon allemaal. Dat leverde ook wel voordelen op. Pieter was nog nooit bij hem thuis geweest. Dat had van Pieters kant al meer dan eens verwijten opgeleverd. Dan zweeg Rachid een poosje, haalde zijn wenkbrauwen op en liet zijn ogen schitteren. Daarna toverde hij een allerliefste glimlach op de lippen. Daar smolt Pieter van. Dan streek hij over zijn hart en vergaf Rachid alles wat hij maar wou. Rachid wist zijn charmes te gebruiken. Maar dat was uitstel van executie. Vroeg of laat zou hij Pieter bij hem thuis moeten uitnodigen.

12

Met wie?

Er heerste een vrolijke drukte in de bus. Ze reden met de klas naar het Museum voor Moderne Kunst in Brussel. Per trimester hadden ze een studietrip. Nu gingen ze een tentoonstelling bezoeken met werken van Salvador Dalí. Er werd gelachen en geroepen.

'En hoelang is dat nu al?' Dat was Hamid. Rachid moest lachen. Die Hamid had zo'n vreemde, zangerige stem.

'Twee weken,' gilde iemand. Hij kon niet uitmaken wie het was, want het ging grotendeels verloren in het tumult.

'Je moet het minstens één maand volhouden,' beweerde Jasper. 'Anders telt het niet.' Hamid en Jasper vormden het komische duo van de klas. Met z'n tweeën zorgden ze steeds voor animo. Zijn klasgenoten visten uit wie onder hen een relatie had. Relaties van minder dan één maand kwamen niet in aanmerking. Er werd gegokt en gegist wie met wie iets had. En ook opzettelijk fout gegokt. Ze verzonnen de gekste combinaties. Dat leidde tot hilarische situaties. Sandra werd valselijk beschuldigd een oogje te hebben op de leraar geschiedenis. Ze kromp in elkaar.

'Spaar me,' gruwde ze. 'Zijn adem is één en al knoflook.'

'Knoflook is gezond,' onderwees Hamid. 'Eet veel knoflook en je wordt met gemak honderd jaar.'

'Dat is een prettig vooruitzicht voor Sandra,' schaterde Laika.

Meneer Vermolen, Mister History noemden ze hem, was een aardige man, maar niet zo aantrekkelijk. Hij had een vreselijke knoflookadem en zijn dikke buik puilde uit en hing over zijn broeksriem. Lekker en vooral overdadig tafelen vond hij een deugd en hij deed vele en dure restaurants dan ook alle eer aan. Wat Rachid de opmerking ontlokte dat die buik waarschijnlijk al veel geld had gekost.

Heel wat van zijn klasgenoten waren samen met iemand. Het was niet noodzakelijk grote liefde. Soms duurden die vlinderromances maar enkele dagen. Partners werden geruild zoals Rachid vroeger met zijn postzegels deed. In het eerste leerjaar legden enkele jongens van zijn klas een postzegelcollectie aan. En om erbij te horen was Rachid ook maar met zo'n verzameling begonnen. Wat hem veel erkenning opleverde, want hij kon fraaie exemplaren laten zien uit Marokko. Hij was er snel mee opgehouden, omdat hij het vervelend vond, en het album was ergens op zolder beland. Terwijl hij naar buiten keek, gleed hij weg in de zachte fauteuil. Het gesprek ging aan hem voorbij en hij liet zijn gedachten de vrije loop. Niemand wist iets van zijn relatie met Pieter. Althans niet in zijn vriendenkring. Om alles netjes gescheiden te houden, moest hij zijn tijd zorgvuldig indelen. Dat puzzelen was vermoeiend, omdat het veel organisatie vroeg. Pieter kon het niets schelen. Die zou het liefst van de daken roepen dat ze iets hadden. Gekke jongen. Vorige zaterdag had hij liggen fantaseren waar ze naar toe zouden verhuizen. Gesteld dat ze het geld hadden. Hij wou een kasteel in Zuid-Frankrijk. Rachid vroeg wie voor het onderhoud zou zorgen. Wie al die kamers zou schoonmaken. Waarop Pieter voorstelde enkel de slaapkamer te gebruiken. 'Waarom wil je dan zo nodig een kasteel?' had Rachid gevraagd. Pieter had zijn ogen dichtgeknepen en gezegd dat het best een klein kasteel mocht zijn. Zoals steeds hadden ze vreselijk veel plezier beleefd. Alleen bij Pieter kon hij zich zo vrij en uitgelaten voelen. Soms vond hij al die geheimen wel spijtig. Hij had zich al eens afgevraagd of hij Sandra in vertrouwen kon nemen. Zij was veruit de intelligentste van de klas en ook de meest discrete. Steeds had hij het idee verworpen.

'Je bent meester van de woorden die je niet gezegd hebt,' had hij ooit eens in een boek met Chinese spreuken gelezen. Maar soms wou hij het uitschreeuwen, het aan iemand kunnen vertellen.

'Zou die iets met Rachid hebben?' Hij hoorde zijn naam vallen en keek op. Alle ogen waren op hem gericht.

'Wat?'

'Hij is wakker,' riep Hamid.

'Heb ik iets gemist?' wou Rachid weten.

'Of hij iets gemist heeft?' herhaalde Hamid voor de hele klas. Algemeen gelach.

'Of jij en Mieke iets hebben samen?' Mieke was een stil meisje, schichtig en onopvallend. Stipt en punctueel, maar niet populair. Het grijze muisje van de klas. Hij lachte meesmuilend en zei dat niemand daar iets mee te maken had. Wat volgens Hamid zoveel betekende dat de veronderstelling klopte. Rachid knipoogde naar Mieke. Ze bloosde. Hamid had het gezien en keek gnuivend rond.

'Stille waters, diepe gronden. Dat moet vonken geven.'

Weer een lachsalvo. 'Jullie zullen vast zeer gelukkig worden,' besloot Hamid plechtig.

Rachid negeerde de drukte en trok zich weer terug in zijn gedachtewereld. Kijk, dat bedoelde hij nu. Stel dat hij iets met Mieke had, dan was er geen vuiltje aan de lucht. Maar nu moest hij elk woord wikken en wegen. Ervoor zorgen dat hij zijn mond niet voorbijpraatte. Gelukkig was dat risico zo goed als afwezig, omdat hij ontzettend weinig sprak. Met mensen om hem heen voelde hij zich niet op zijn gemak. Volgende maand was er een klassenfeestje gepland. Daar kwam iedereen vast opdagen in gezelschap. Alleen hij zou er weer bijlopen als een zielenpoot. Net als Mieke. Misschien moesten ze maar samen gaan. Dat was niet eens zo'n gek idee. Dan hadden ze allebei een partner. Hij moest het wel aan Pieter zien te verkopen.

13

Te vroeg lente

Voorzichtig, om toch maar niet te morsen, schonk hij twee glazen frisdrank in. Soms namen ze blikjes, maar daar hield moeder niet van. Er was al genoeg rommel op de wereld, vond ze. Dat zo'n plastic fles ook afval was, daar stond ze niet bij stil. Ze zaten op de grond. Verlamd door de hitte. Pieters kamer was een soort toevluchtsoord geworden. Wanneer ze niet gingen fietsen of zwemmen zaten ze daar. Rachid had zijn spijkerbroek uitgetrokken en geruild voor een grijs linnen short.

'Het weer houdt het niet,' voorspelde Pieter pessimistisch terwijl hij Rachid het glas met zijn voet toeschoof. 'Eens kijken hoe lang het duurt voor het omvalt.'

Rachid pakte snel het glas van de grond. Hij wou geen problemen met Pieters moeder.

Het raam stond wijdopen. Het was half april en het weer was omgeslagen. De lente was nog jong, maar het leek al hartje zomer.

'Welja, doe maar. Is het eens vroeg zomer, ga jij weer spelbreker spelen.' Rachid dronk het glas halfleeg.

'Het is te warm voor de tijd van het jaar,' pruttelde Pieter. Hij schroefde de dop weer op de fles.

'Je lijkt de weerman wel.'

Een boerenzwaluw scheerde voorbij het open raam. Dat

was zeldzaam in de stad. Die was vast verkeerd gevlogen. Ach, ze vind haar weg wel, dacht Pieter. Als je naar Afrika kunt vliegen, dan kun je naar huis vliegen ook. Hij ging op zijn buik liggen. Hij steunde op zijn ellebogen en hield het hoofd een tikkeltje scheef.

'Wanneer wist jij dat je op jongens viel?'

'Laat me even mijn hersenen pijnigen.'

'Heb je die? Soms heb ik mijn twijfe... aaau!'

Razendsnel had Rachid een wasknijper op Pieters neus geklemd.

'Wat doet die wasknijper op je kamer?'

'Die gebruik ik om een zak chips te sluiten.'

Zijn stem had een nasale klank. Dat maakte Rachid aan het lachen. Pieter haalde de knijper van zijn neus en gooide het ding op zijn bureau. Hij ging op zijn bureaustoel zitten.

'Reuze handig. Anders is het knoeien met kleefband of elastiekjes.'

'Op je neus heeft het ook wel iets.'

'O, wat ben je grappig. Antwoord nu eens.'

'Wat wou je ook weer weten?'

'Vanaf welke leeftijd je iets voor jongens voelde?'

'Van toen ik in de wieg lag, denk ik.'

Pieter keek onnozel. 'Zo vroeg al?'

Rachid lachte. 'Nee natuurlijk niet, idioot. Bij manier van spreken. Ik heb het altijd geweten. Ik dacht dat het zo hoorde. Later pas kreeg ik in de gaten dat ik anders was. Anders dan de meeste jongens. En jij? Hoe lang weet jij het? En waar liggen die chips?' Pieter wees in de richting van zijn bed.

'Ook zoiets, denk ik. Maar sinds ik jou ken weet ik het honderd procent zeker.'

Rachid ritste de zak open en liet een handjevol chips in zijn mond glijden.

'Waarrrjom sjindsh sje mij krkent?' Het kraakte tussen zijn tanden.

Pieter nam een flinke teug en hield de koele drank in zijn mond terwijl hij nadacht. Rachid knabbelde rustig verder en Pieter begon te vertellen.

'Voor ik jou kende... fantaseerde ik wel over jongens. Ik keek er ook naar. Maar daar bleef het bij. Hoe het voelde wist ik niet, al kon ik me er iets bij voorstellen. Maar zeker was ik niet. Pas toen ik jou heb ontmoet vorig jaar.... Tja, toen wist ik het.'

Rachid slikte haastig de chips door.

'Was ik jouw eerste eh... hoe zal ik het zeggen...'

'Vrijer?' vulde Pieter aan en hij knikte.

Rachid peuterde met zijn tong tussen zijn tanden en keek bedenkelijk. 'Wil je dan niet eens met iemand anders iets beleven?'

Verbaasd schudde Pieter het hoofd. 'Nee, echt niet. Je maakt me gelukkig.'

Rachid kroop op handen en knieën naar Pieter en zoende hem op zijn wang.

'Bedankt.' Hij liet zijn lippen door de blonde krullen dwalen. 'Jij maakt me ook gelukkig.'

'Hoewel,' treiterde Pieter, 'verandering van spijs doet eten.'

Rachids ogen fonkelden. 'Wat bedoel je daarmee?'

Pieter hield van dat soort plagerijen en hij goot nog wat olie op het vuur.

'Dat ik misschien toch eens een andere minnaar zoek. Enkel om te vergelijken hoor. Meer niet.'

Het klonk onschuldig, maar Rachid veerde overeind, lichtte Pieter van zijn stoel en in een oogwenk zat hij bovenop zijn gevloerde slachtoffer.

'Als je dat maar laat,' dreigde hij. 'Ik zal je meteen laten voelen dat er geen betere minnaar bestaat.'

Ondanks dat heerlijke vooruitzicht gaf Pieter zich toch niet gewonnen. Er volgde een gevecht. Om beurten kregen ze de overhand en ze rolden over de vloer. Maar het stond vooraf vast dat Pieter het onderspit zou delven. Tegen zoveel brute kracht was hij niet opgewassen.

'Wat heb... jij spie... eh... ren,' roemde Pieter hijgend.

Rachid spande zijn biceps en pochte: 'Made in Marokko... en in de fitnesshal natuurlijk.'

Pieter zag zijn kans schoon en gooide Rachid omver. De tweede ronde was begonnen. Toen ze uitgeteld naast elkaar lagen greep Rachid Pieters hand.

'Weten je ouders dat wij hier liggen te rollebollen,' informeerde hij achterdochtig.

'Oh nee,' overdreef Pieter, 'Ze denken dat we scrabble spelen.'

Er gleed ongeloof over het donkere gelaat.

'Dat jullie zo losjes omgaan met die... die eh... dingen.'

Pieter drukte een tedere kus op Rachids voorhoofd en krabbelde overeind.

'Dat heet vrijheid, lieve Rachid. Vrijheid is het hoogste goed.'

'Hoor, hoor, de wijze woorden van predikant Pieter.'

'Ik doceer de kennis des levens.'

Pieter zette een potsierlijk gezicht. Rachid keek geringschattend, maar al gauw kwam er een lach op zijn gezicht.

'Zal ik jou eens de kennis van de liefde onderwijzen?'
Armen die geen weerstand duldden trokken Pieter weer naar
beneden. Die sloot zijn ogen en gaf zich over. Rachids onge-
schoren wang schuurde langs de zijne. Hij genoot en hui-
verde. Buiten kwetterden mussen en merels. Vogels die elkaar
te vroeg het hof maakten. Rachid liet zijn vingertoppen over
het lichaam van zijn vriend dwalen. Met zijn lippen zocht hij
de warmte van Pieters mond. Pieter liet hem begaan. Rachid
zoende zalig. In zijn sterke armen lag het paradijs.

Ze stommelden de trap af. Moeder kwam uit de keuken en
nodigde Rachid uit voor het avondeten. Maar hij bedankte,
groette vluchtig en haastte zich weg. Hij had er geen zin in. Al
waren Pieters ouders bijzonder vriendelijk en hartelijk, toch
lukte het hem niet de onwennigheid van zich af te schudden.
Hij kon niet benoemen wat het was. Het leek wel of hij bij
de familie ging horen. Ja, dat was het. Het kreeg iets offici-
eels. Hij wilde niet Pieters lief zijn. O zeker, Pieter was hem
dierbaar. Toch wilde hij niet dat andere mensen daar getuige
van waren. Dan werden ze vast overal uitgenodigd. Op aller-
hande feestjes. Om toch maar niemand uit te sluiten en te
laten zien dat ze welkom waren. Ook al waren ze dan eh...
je weet wel: flikkers. Maar je kon er donder op zeggen dat ze
met de vinger zouden worden nagewezen. En achter hun rug
om zou door vuile tongen geroddeld worden.
'Kijk daar, zie je die twee jongens? Die zijn samen. Ja, precies. Een stel.' Nee, dat kon hij niet hebben.
Bij het afscheid aan de deur werden handen geschud. Zoenen was uitgesloten. Zodra Rachid op straat stond, sloot Pie-

ter gauw de deur. Rachid haatte het als hij werd uitgewuifd. Dat vond hij flauw. Pieter betreurde die geheimzinnigdoenerij wel.

'Een kus kan er nog steeds niet af,' stelde moeder lachend vast.

'Ach, dat komt nog wel,' beweerde Pieter. 'Laat hem eerst nog maar wat ontdooien.'

'Natuurlijk, jongen. Er is geen haast bij.'

Dat vond Pieter ook. Als ze maar samen konden zijn. Ze hadden het toch fijn? Nou dan! Je moet altijd het positieve zien, had moeder hem geleerd. Kijk, Rachid zou met Mieke naar een klasfeestje gaan. Dat arme kind had niemand. Was dat niet positief? En of hij er iets op tegen had, vroeg Rachid. Wat kon hij daar op tegen hebben? Het was knap dat Rachid zich zo opofferde. En hij kende toch niemand van Rachids klas. En Rachid begon zich, wanneer moeder er bij was, al wat soepeler te gedragen. Geen spectaculaire ontwikkelingen hoor. Een glimlach, eens vluchtig een hand op Pieters schouder. Een vooruitgang, toch? Zeker als je de situatie vergeleek bij enkele maanden geleden.

Voor het eten wilde hij zich nog snel wat opfrissen. Drie treden tegelijk nemend, spurtte hij naar boven. Zijn moeder keek haar zoon na. Wat lijkt hij op zijn vader, dacht ze. Een eeuwige optimist. Pieter was er vast van overtuigd dat de tijd alle plooien zou gladstrijken. Hij was stapel op Rachid, dat kon een kind zien. Ze had niets tegen die jongen, echt niet. Maar hij kwam nu al enkele maanden over de vloer en nog steeds kon ze geen hoogte van hem krijgen. Die donkere ogen gaven geen enkel mysterie prijs. Het bleef gissen naar wat achter die glanzende spiegels lag.

14

Tekenen

Pieter sakkerde. Al dat technisch gedoe! Meetkundig tekenen, jakkes, wat had hij een bloedhekel aan dat vak. Dat gepruts met passer en gradenboog. Hij bracht er niets van terecht. Vlekken bij de vleet en van dat millimeterwerk kreeg hij pieroogjes. Geen wonder dat Rachid een bril nodig had. Die zat soms tot 's avonds laat over zijn schetsen gebogen. Mij niet gezien, dacht Pieter. Waar is dat nu voor nodig? Nee, die hele wereld van diagonalen en zeshoeken kon hem gestolen worden. Intussen moest hij natuurlijk wel die tekeningen afkrijgen. Wanneer de leraar het op school voordeed dan vlocide de ene lijn uit de andere. Dan leek het een fluitje van een cent. Pas als hij het in z'n eentje moest klaren, bakte hij er niets van. Die ingewikkelde constructies op papier krijgen, lukte hem niet. Het maakte hem moedeloos. Rachid moest hem helpen. Voor hem was dat gesneden koek. Maar het was donderdag. Dan ging Rachid naar de fitnesshal. Met twee jongens die hij kende van de moskee. Pieter had al een paar keer gesmeekt of hij mee mocht, maar daar wilde Rachid niet van weten. Het bleef 'nee,' zowel in het Arabisch als in het Nederlands. In het begin voelde hij zich buitengesloten, maar hij had er zich na een tijdje noodgedwongen bij neergelegd. Rachid zwichtte niet.

'Ik breng mijn vrienden toch ook niet mee als ik naar jou

toe kom,' had hij gezegd. Aan de logica van die verklaring kon gesleuteld worden, vond Pieter. Hij zou er niets op tegen hebben Rachids vrienden te leren kennen. Maar bij voorbaat wist hij dat het ijdele hoop zou blijven. Rachid beweerde dan wel verliefd te zijn en Pieter geloofde dat graag. En hij hield bij hoog en laag vol dat hij stapel was op hem. En niemand kon zulke lieve woordjes verzinnen als hij. En ja, dat maakte Pieter dolgelukkig. Alleen... niemand mocht het weten. Het leek wel een vieze ziekte. Hij gooide zijn potlood op tafel. Nee, hij moest geduldig blijven. Maar dat knaagde gaten in zijn zelfvertrouwen. Hij zuchtte. Hoeveel hij ook van hem hield, het bleef moeilijk. Het was altijd opletten geblazen. Zoenen mocht sowieso niet, maar ook elke aanraking was verboden. Ineens bedacht hij dat hier een unieke kans lag. Er gloeiden lichtjes in zijn ogen en hij begon te broeden op een klein maar duivels plan. Hij zou hem bellen. Niet op zijn gsm. Nee, rechtstreeks naar hem thuis.

In de telefoongids zocht hij het nummer op en wachtte tot na zes uur. Dan was de kust zo goed als veilig. Veel kans dat hij dan de moeder of de vader aan de lijn kreeg. Hij zou zich voorstellen als een schoolvriend van Rachid en onverschillig informeren of hij morgen kon langskomen. Hij had hulp nodig. Met een ingewikkelde meetkundige tekening. Het klonk aannemelijk, niet? Aan de andere kant werd opgenomen.

'Met Mohammed Mhalami.'

Pieter haalde diep adem. Het gesprekje dat hij enkele keren in z'n hoofd gerepeteerd had verliep vlotter dan hij dacht.

Pieter? Een vriend van Rachid? O, maar Rachid was niet

66

thuis, nee. Hulp nodig? Natuurlijk zou Rachid helpen. Hij mocht gerust langskomen. Een vriend van zijn zoon was altijd welkom. Ja, morgenavond na zes uur. Dat kon. Hij zou de boodschap doorgeven.

Pieter beëindigde het gesprek en haalde opgelucht adem. Oef! Dat was makkelijk! Filmacteurs klaagden altijd. Dat hun job zo zwaar was en vermoeiend. Lef! Daar kwam het op neer. Dat was alles. Meer was het niet. Nu Rachids reactie nog afwachten. Misschien werd hij wel boos. Pieter zei graag wat bij hem opkwam, maar bij Rachid kon je nooit zomaar iets aankaarten. Je moest de onderwerpen omzichtig te berde brengen. Met zijn wisselende stemmingen was het steeds op eieren lopen.

15

Koffie en thee bis

'Je had me op mijn gsm kunnen bellen!'

'Ja,' zei Pieter en lachte in zijn vuistje, 'dat was ik ook van plan, maar toen bedacht ik dat je aan het sporten was. Met vrienden. Ik weet dat je dan niet graag gestoord wordt. Het leek me beter naar jou thuis te bellen. Want daarna eh… daarna moest ik naar tante Nellie en kon ik je niet meer bellen…eh…' Pieter knutselde de leugen nogal onhandig in elkaar. Maar Rachid was er met zijn hoofd niet bij. Hij was half in paniek geraakt toen hij de boodschap hoorde. Pieter werd met miljoenen raadgevingen overstelpt. Vooral geen hand geven aan mijn moeder, had Rachid hem op het hart gedrukt. Dat vond Pieter vreemd. Een hand geven was één van de eerste dingen die hij geleerd had.

'Wees beleefd en geef een handje.' Hoeveel keer had hij dat zinnetje als kind gehoord? En nu mocht het ineens niet. Maar bij moslims gaf een man nooit een hand aan een vrouw.

'En mijn moeder is een vrouw.'

'Goh,' zei Pieter, 'daar was ik zelf nooit opgekomen.'

Eénmaal binnen drukte hij zijn vuisten stijf in zijn zakken. Uit gewoonte zou hij onverhoeds wel eens een hand kunnen uitsteken. Mevrouw lachte vriendelijk en zei, 'Salaam Alaykoem'. In haar hemelsblauwe kaftan zag ze eruit als een koningin. Ze beduidde hem plaats te nemen op een bank van houtsnijwerk, bedekt met dikke, rode kussens. Hij zakte er half in weg tot groot jolijt van Rachid. Het interieur was indrukwekkend. Pieter werd er stil van. Bij hem thuis waren de muren steriel wit. Hier hadden ze warme kleuren, van oker tot bordeaux, met tegelmozaïeken en in de hoeken Arabische motieven. Het plafond was van cederhout. Het leek wel een klein paleisje uit het land van duizend en één nacht. De koningin moeder verdween in de keuken en kwam terug met enkele glaasjes en een schotel koekjes. Heerlijke koekjes met amandelspijs druipend van de honing en bestrooid met sesamzaadjes.

Een poosje later kwam ze aandraven met een grote, zilveren kan.

'Ha,' dacht Pieter verheugd, 'een heerlijk kopje koffie.' Tot zijn ontzetting schonk ze hem dampende muntthee in. Daar hield hij niet van, maar hij durfde toch niet te weigeren. Hij was hier te gast. Stel je voor dat hij Rachids moeder zou beledigen. Met korte teugen en snel na elkaar dronk hij het glaasje leeg. Oef, dat was binnen. Rachids moeder knikte goedkeurend en hij knikte terug. Waarop zij prompt een tweede glas voor hem inschonk. Pieter keek beteuterd naar Rachid. In een ratelende, niet te volgen taal bracht hij zijn moeder op de hoogte. Met een afwerend gebaar nam ze haastig het glas weg en droeg het naar de keuken.

'Moest dat nu?' stoof Pieter op. 'Ik probeer een goede indruk te maken.'

Algauw kwam ze terug met geurige koffie. Pieter schaamde zich.

'Niks erg hoor,' stelde Rachid hem gerust. 'Het gebeurt wel vaker dat mensen koffie willen in plaats van thee.'

Pieter keek bewonderend naar de zilveren kan. Thuis stond er de hele dag een thermoskan op tafel. Met een pompje. Wie koffie wilde, die nam zelf, zo simpel was het.

'Wat zei je moeder toen ik binnenkwam?' fluisterde Pieter.

'Salaam Alaykoem, dat is een welkomstgroet. Vrij vertaald betekent het eh... 'Vrede zij met U. U in het meervoud. Dat is de beleefdheidsvorm.'

Pieter knikte goedkeurend. Fijn om weten. De sfeer was gemoedelijk en Rachid leek ontspannen. Het ging echt de goede richting uit met hem. Alsof dag na dag de angst heel langzaam uit hem wegtrok.

Rachids moeder sprak weinig of geen Nederlands, al begreep ze wel een boel woorden.

'Ik kan er geen touw aan vastknopen,' bekende Pieter toen ze even weg ging. 'Jullie ratelen maar en toch hoor ik af en toe een woord Nederlands.'

'Dat klopt,' beaamde Rachid. 'Woorden die we in het Arabisch niet kennen.'

Pieter bekeek hem ongelovig en vroeg: 'Welke woorden dan?'

'Zak friet met mayonaise,' diende Rachid hem ad rem van repliek en propte een koekje in zijn mond.

Pieter schoot in de lach. Daar kon hij niets op terugzeggen.

Ze gingen naar Rachids kamer. Pieter gaf zijn ogen de kost. Het heiligdom van zijn vriend viel een beetje tegen. Hij ging zitten op wat een zeshoekig houten krukje leek, en keek zwijgend rond. Vergeleken bij de sprookjeskamer beneden was dit wel heel gewoontjes. Een beetje zoals zijn eigen kamer.

'Ga je ook nog iets zeggen,' informeerde Rachid. Maar voor Pieter een diplomatiek antwoord klaar had, snoerde Rachid hem de mond. 'Je had oosterse tapijten verwacht en Moorse invloeden. Niet?' Dat kon Pieter niet ontkennen. Aan de muur hingen foto's.

'Wie zijn dat?' Hij was benieuwd.

'Dit zijn mijn grootouders uit Tazaghine bij Nador. De ouders van mijn vader. En dit hier mijn grootouders uit Tiztoutine. Een dorpje van niemendal. Enkele vierkante meters. Bij regen zetten ze er een tent over.'

Pieter keek naar die vreemde mensen die zo belangrijk waren in Rachids leven.

'Mijn vader is weggetrokken uit Tazaghine. Hij heeft alles achtergelaten en is hier helemaal opnieuw begonnen. Geloof me, dat was lastig. Hij verwacht veel van me.'

Pieters oog viel op een grote mahoniehouten sierkist met inlegwerk van parelmoer.

'Een geschenk van mijn grootvader,' raadde Rachid zijn gedachten. 'Paar maanden geleden gekregen. Voor mijn zestiende verjaardag.'

Pieter liet zijn hand liefkozend langs het donkere hout glijden.

'Wanneer is je verjaardag?' vroeg Pieter en bedacht ineens dat ze daar nooit eerder over gepraat hadden.

'Op twaalf oktober. En jij?'

Pieter grijnsde triomfantelijk. 'Op drie juli. Ik ben een zonnekind en drie maanden ouder dan jij.'

Rachid keek meewarig. 'Wat jammer. Dan ben ik er niet. We gaan voor twee weken naar Tazaghine. Op bezoek bij mijn grootouders.'

'Mag ik mee,' bedelde Pieter.

'O ja, dat denk ik wel. Ik zal het straks aan mijn ouders vragen.' Rachid tikte met zijn wijsvinger tegen zijn voorhoofd en ging verder. 'Je bent je verstand kwijt zeker. Ze zullen ons zien aankomen.'

'Dan blijf ik wel hier,' zei Pieter gelaten en ging op bed zitten. 'Als ze enkel van je houden zolang je in hun steegje woont, plant dan maar een vraagteken op elke hoek!'

Rachid morde. Het duurde even voor hij Pieters maffe beeldspraak door had. 'Niemand hoeft te weten wat wij voor elkaar betekenen.'

Pieter was het er niet mee eens. 'Ik hou niet van dat stiekeme gedoe. Het lijkt wel of we misdadigers zijn.'

Rachid ging op zijn hurken zitten. 'Dat maakt het net zo spannend,' fluisterde hij en hij legde een warme hand op Pieters knie. Die sloot zijn ogen en voelde een vreemde kriebeling in zijn buik. De hand gleed onder zijn bermuda en verdween tussen zijn benen. Een rilling trok over zijn rug. Rachid trok zijn hand terug.

Pieter keek verbaasd. 'Wat doe je nu?'

'Ja, wat had je gedacht? Dat ik de klokken ga luiden terwijl mijn moeder beneden is?'

'En wat dan nog? Dat doe ik bij mij thuis toch ook. Oké, ik zie het verschil wel. Maar de deur is op slot. Wat kan er dan gebeuren?'

Rachid aarzelde.

Pieter lachte. 'Bangerik. Toe nu. Ik kan snel en efficiënt zijn.'

'En stil?'

Pieter knikte overtuigend en liet zijn hand langs Rachids dij glijden. Rachids weerstand was gebroken. Hij voelde nog of de deur wel degelijk op slot was en knoopte daarna snel en behendig Pieters hemd los. Pieter werd willoos in zijn handen. Op zijn beurt trok Rachid zijn T-shirt uit en kwam in bloot bovenlijf voor Pieter staan. Deze drukte zijn mond op de blote buik en volgde met zijn tong de haartjeslijn tot aan de navel. Rachid sidderde. Weg was Allah. Weg was de Koran. Pieter ging staan. Ze zoenden innig en teder, vlijden zich tegen elkaar aan. Rachid zakte door de knieën en vouwde zijn handen om Pieters billen. Met zijn tanden probeerde hij de rits open te prutsen. Heerlijk, die smaak van metaal. Als de liefde in de lucht hangt is alles heerlijk.

Ze lagen uitgeteld naast elkaar op koele grond. De vrijpartij was kort maar zeer intens geweest. Rachid zuchtte zwaar en stond op. Een beetje haastig trok hij zijn jeans en zijn T-shirt aan.

'Ik ga me in de badkamer wat opfrissen. Doe de deur op slot als ik buiten ben en kleed je aan. Ik klop wanneer ik terug ben.'

Toen Rachid de deur achter zich dicht getrokken had, draaide Pieter de sleutel om. Hij ging weer liggen, de handen in de nek, en keek om zich heen. Hier studeerde en sliep Rachid dus. Pieter nam alles nauwkeurig in zich op. Een tekentafel, een boekenrekje aan de muur, wat foto's, een teke-

73

ning, een scheurtje in het behang. Hij wilde zich alles kunnen herinneren. Hij bleef liggen en genoot in stilte.

Rachid klopte. Het werd tijd. 'Wat opfrissen,' had hij gezegd. Hij was al minstens tien minuten weg. Pieter sprong overeind, draaide de sleutel om en zwaaide de deur open.

'Ben je daar eindel...' Hij stokte.

Voor hem stond een meisje. Met ogen als die van Rachid. Als de bliksem sprong hij half achter de deur en zocht met zijn voet een kledingstuk. Hij had alleen zijn sokken aan. Ze sloeg haar hand voor haar mond en wendde het hoofd af.

'Ik ben Pieter, aangenaam,' stamelde hij verbouwereerd. Het klonk belachelijk. Rachid kwam uit de badkamer. De wereld stond stil. Even maar. In een oogwenk wist hij wat er gebeurd was. Schichtig keek hij van het meisje naar Pieter en terug.

'Jamilah...,' fluisterde Rachid geschrokken. 'Jamilah, ik...' Maar het meisje haastte zich vliegensvlug de trap af. Het tafereel had nog geen tien seconden geduurd. Op slag was de tederheid verdwenen. Er flitste angst in Rachids ogen. Hij vloekte dat het kraakte, in een kleurrijke mengeling van Arabisch en Nederlands. In zeven haasten trok Pieter zijn kleren aan. Hij kon inderdaad snel, stil en efficiënt zijn.

Toen Pieter klaar was, talmde Rachid bij de deur. Hij durfde niet naar beneden. Dat snapte Pieter wel, maar het moest eens gebeuren. Hij gaf Rachid een duwtje in de rug. Achter elkaar liepen ze naar beneden, Rachid voorop. Zwijgend kwamen ze de woonkamer binnen. Pieter moest gaan. Thuis werd er op hem gewacht. Met het eten. Rachids moeder knikte hem vriendelijk toe. Bijna had hij zijn hand uitgestrekt. Op het laatste moment maakte hij er een soort wuifgebaar van. Als afscheid. Het leek nergens op, maar hij had zich uit de situatie gered. Jamilah was in geen velden of wegen te bekennen. Rachid deed hem uitgeleide. Pieter wenste hem sterkte toe. 'En bel me straks nog even.' Rachid knikte.

16

Bellen

Het was al tien uur. Rachid liet niets van zich horen. De hele avond had Pieter getwijfeld of hij zelf zou bellen. Als hij het niet deed, zou hij vast niet kunnen slapen. Zijn ouders had hij niets verteld. Hij voelde zich toch een beetje... Ja, hoe noem je zoiets? In verlegenheid gebracht, dat was het. Betrapt op heterdaad. In films vond hij dat soort scènes om te gieren. Nu was het bittere ernst en voor Rachid was het nog erger. De situatie bracht zijn vriend in een lastig parket. Hij greep zijn gsm en belde.

'Hoi.'

'En? Moeilijkheden gehad?'

'Shit, man. Ik had je nog zo gezegd je aan te kleden.'

Het klonk gedempt aan de andere kant. Pieter hoorde zijn ademhaling.

'Verdorie zeg! Toen ik je zus daar zo zag staan. Ik schrok me een ongeluk.'

'En ik dan. Ik dacht dat ze niet thuis was. Maar jij moest zo nodig weer aan mijn lijf prutsen.'

'Welja, straks is het nog mijn schuld,' zei Pieter. 'Jij bent begonnen. Ik heb alleen een beetje aangedrongen. Heeft ze iets gezegd?'

'Ze was geschokt en begreep het niet. Ze vroeg zich af hoe ik zo zwak kon zijn.'

'Zwak?' Pieters stem schoot uit.

'Ach dat kun jij niet begrijpen,' zei Rachid gelaten.

'Leg het me dan uit.' Pieter hoorde een diepe zucht als reactie. 'Toe, wat zei ze? Probeer het ten minste,' drong Pieter aan.

'Het is beter als je dat niet weet.'

Daar nam Pieter geen genoegen mee. Hij bleef net zolang zeuren tot Rachid toegaf.

'Wat jij doet... wij doen. Wat we zijn is... is het laagste van het laagste.'

'Vind jij dat ook?' Het bleef stil. 'Rachid, vind jij dat ook?'

'Ik heb geprobeerd haar uit te leggen wat... Uit te leggen hoe het voelt. Dat ik je...'

Hij maakte zijn zin niet af. Een tijdje bleef het stil aan beide kanten.

'Doe wat je wilt,' zei ze, 'maar zorg dat vader en moeder het niet te weten komen.'

Pieter dacht na. 'Ik had wel de indruk dat je moeder me mocht.'

'Natuurlijk mag ze je,' foeterde Rachid. 'Of dacht je dat ik haar verteld heb dat we staan te zoenen zodra we alleen zijn?'

Pieter zei maar niet dat er ook best gezoend mocht worden als ze niet alleen waren. Hij liet Rachid kalmeren.

'Als ze uitvist wat we aan het doen waren, is het huis te klein. Het ligt niet aan jou. Volgens de Koran zijn mensen zoals wij vies en ziek. Maar ook volgens de Bijbel hoor!' Hij klonk moedeloos.

Pieter vreesde dat zijn belkrediet bijna opgebruikt was. Hij wou nog snel weten of die zus te vertrouwen was.

'Jamilah? Ja, die is oké.' Het bleef een ogenblik stil alsof Rachid een andere mogelijkheid overwoog.

'Nee, maak je geen zorgen. Ze zal ons niet verraden.'

Een poosje later lag Pieter in bed. Een stroom knetterende gedachten hield hem wakker. Ergens had hij eens gelezen 'Wie zijn geluk deelt, vermeerdert het'. In het begin begreep hij het niet zo goed. Nu werd het steeds duidelijker. Wat had je aan geluk als je het niet mocht uiten. Telkens moest hij de lippen stijf op elkaar houden. Al zijn klasgenoten liepen hand in hand te vlinderen. Dat wou hij ook best wel eens een keertje. Maar Rachid zou hem aan zien komen. Zeker na wat vandaag gebeurd was. Het vuur werd bedwongen. Woekerde onderhuids. Dit was een verboden liefde en schaars waren de momenten dat ze het daglicht mocht zien. Als een kostbaar kleinood werd ze uitgepakt, verzilverd en weer opgeborgen. Niets ervan mocht uitlekken of opvallen. Niemand was op de hoogte. Met die weinig opbeurende gedachte sukkelde hij in slaap.

De volgende weken was Rachid uiterst voorzichtig. Nog meer dan gewoonlijk. Hij hield zich behoorlijk op de vlakte en trok duidelijke grenzen. Samen gaan zwemmen vond hij al riskant. In de stad zorgde hij ervoor, zich zo nonchalant mogelijk te gedragen. Ze waren makkers, twee tienerkameraden. Ze maakten samen plezier en verder was er geen vuiltje aan de lucht. Rachid werkte aan zijn imago. Zijn tred was ook anders. Zwaarder. Zijn armen hield hij wat wijder zodat hij breder leek. Dat alles moest hem een mannelijker uiterlijk geven. 'Maar je ziet er mannelijk genoeg uit,' herhaalde Pieter meermaals. Het mocht niet baten. Pieter moest ook afstand houden. Nooit te dicht of te veel naast Rachid lopen. 'Zullen we babbelen via de gsm als we samen op stap zijn? Of moet ik roepen?' Het sloeg nergens op en het was belachelijk, maar Pieter bleef zoals altijd geduldig. Hij vermeed het onderwerp. Het zou wel bijtrekken. Dit hield Rachid nooit vol.

17

Zie je wel... het regent

'Mijn hele wereld staat op zijn kop. Door jou!' Rachid zat op de grond met opgetrokken knieën tegen de muur geleund. Zijn stemming was al even somber als het weer. Met bakken viel het water uit de hemel. Pieter schonk twee glazen cola in en ging pal vóór hem zitten.

'En nu ga jij,' en hij prikte met zijn rechterwijsvinger op Rachids borst, 'me eens precies uitleggen wat je daarmee bedoelt.'

Rachid haalde zijn schouders op en slurpte nadrukkelijk luid. Over de rand van het glas keek hij naar Pieter die zat te wachten. Hij klemde het glas tussen zijn borst en knieën. Hakkelend begon hij te vertellen.

'Door jou... sinds ik jou ken ... wij elkaar kennen... Vroeger was alles duidelijk. En nu...'

Pieter hield het hoofd schuin en kneep zijn ogen halfdicht. 'Het lijkt of er nu iets vreselijks komt.'

Rachid zuchtte en zette het glas neer. Met zijn voet rolde hij een tennisbal naar zich toe. 'Zo bedoel ik het niet. Ik ben waanzinnig verliefd op jou. Maar...' Hij stond op en ging voor het raam staan. 'Jij en ik samen, het heeft geen zin.' De regen kletterde tegen de ruiten.

Pieters mond viel open. Hij moest het nieuws even verwerken. 'Je spreekt in raadsels. Eerst zeg je dat je verliefd bent.

En dan beweer je dat het zinloos is.' Geduldig wachtte Pieter het antwoord af.

Rachid keek nors naar de grond. 'Later ga ik trouwen en kinderen krijgen. Zoals iedereen.'

Wow, dat kwam hard aan. Pieter zag sterretjes en moest slikken. 'Er zijn heel wat mensen die niet trouwen en geen kinderen krijgen.'

'Niet bij ons. Wij worden verondersteld een gezin te stichten.' Rachid kaatste de tennisbal tegen de muur. 'In het begin was het...' Hij zocht naar woorden. 'In het begin hield het geen verplichting in. In het begin schoof ik de toekomst voor me uit. We genoten samen en we zouden wel zien... Terwijl ik nu... Ik denk aan jou, verlang naar jou, zie je voor me. Maar ik zie geen toekomst. Het duurt nog wel een paar jaar, maar vroeg of laat moet ik trouwen. Dit zijn de regels. Punt uit. De familie wil het zo.'

Pieter zat Rachid verdrietig aan te kijken en na een tijdje fluisterde hij: 'Ik wil je familie zijn.'

Rachid keek om en glimlachte flauwtjes. 'Dat weet ik wel.' Hij liep terug naar zijn plekje achter de deur en ging zitten. 'Als jij die avond niet was gaan zwemmen, dan zaten we nu niet met de gebakken peren.'

'Was jouw familie maar wat toeschietelijker zul je bedoelen,' wilde Pieter zeggen, maar hij bedacht zich op het laatste nippertje. Het bleef stil.

Het leek alsof Rachid soms zijn gedachten kon lezen. 'Op begrip van mijn familie hoef je niet te rekenen. Integendeel. Als iemand te lang wacht met trouwen, helpen ze op alle fronten.'

'O ja? Wat doen ze dan?' Pieter deed zijn best om opgewekt te klinken. 'Sleuren ze je naar de moskee?'

Rachid grinnikte en mikte de tennisbal naar Pieters hoofd.

'Nee, natuurlijk niet. Maar ze zeuren waarom je het blijft uitstellen. Ze gaan naar een geschikte partner zoeken.'

Pieter kauwde op zijn wang. 'Ik epileer mijn wenkbrauwen, verf mijn lippen rood en trek een strakke jeans aan. Als ik dan nog wat met mijn heupen wieg, dan kan ik zo doorgaan voor de vrouw van je dromen. Zou het opvallen denk je?'

Ze lachten. Pieter had altijd van die dwaze invallen.

'Jij moet clown worden,' vond Rachid.

Pieter knikte. 'Ik zal vragen aan mijn ouders of het mag.' Hij ging naast Rachid zitten. 'Waarom moet dat zo nodig? Dat trouwen bedoel ik?' De ander zoog zijn mond vol lucht en bolde zijn wangen.

'Pffft, weet ik het? Volgens de imam om de menselijke soort in stand te houden?'

'O ja, de mens is met uitsterven bedreigd. Da's waar! Nog enkele jaren en er zijn er geen meer.' Het klonk schamper en Pieter werd zelfs een beetje boos. 'En daarom moet je je eigen geluk maar opgeven. Feliciteer de imam van mij.'

Rachid werd weer ernstig. 'Spot niet. Ik neem de imam niet altijd ernstig, maar voor mijn ouders is hij een heilige.'

'Ik spot niet. Maar jou opgeven doe ik ook niet.' Hij dronk zijn glas in één keer leeg.

'William is er!' Dat was moeder. Ze riep beneden aan de trap om alvast het onverwachte bezoek aan te kondigen.

Rachids gezicht betrok. 'Wat komt hij hier doen?'

Pieter trok zijn wenkbrauwen op en beperkte een enorme boer tot een aanvaardbaar minimum. 'Sorry, de prik moest eruit.' En onverstoorbaar antwoordde hij: 'Weet ik veel! We zullen het hem zo meteen vragen.'

Er werd geklopt.

'Mag ik binnenkomen?' Zonder op antwoord te wachten deed William de deur open. Met een handdoek om zijn hoofd kwam hij op de tast naar binnen.

'Welja, kom erin,' zei Pieter totaal overbodig.

'Ik drijf,' pufte William en hij zeeg neer. Hij wreef zijn haar verder droog.

'Van wie heb je die handdoek?' wou Pieter weten.

'Van je moeder, of dacht je dat ik die standaard bij me heb? Heb je nog een glas?'

'Ik schenk voor ons nog eens in en jij drinkt de fles leeg. Goed?'

Het woord 'ons' deed een belletje rinkelen. William keek rond en zag Rachid die onopvallend in de hoek achter de deur was blijven zitten.

'Jij bent Rachid,' raadde hij.

Moeder had hem blijkbaar niet ingelicht.

'Precies, en dat is mijn neef William. Ik heb je al over hem verteld,' zei Pieter luchtig.

Handen werden geschud en Pieter vroeg: 'Wat kom je hier trouwens doen?'

William keek verbluft. 'Nu nog mooier. Ik denk, ik ga die jongen eens verrassen. Offer mijn vrije namiddag op, rij dat hele eind hier naar toe in dat verschrikkelijke weer en jij hebt het lef te vragen waarom.'

Voor Pieter hem kon tegenhouden, griste William de fles uit zijn handen.

'Jij krijgt nog een glas, Rachid, maar die kerel,' hij keek naar Pieter, 'verdient het niet.' Hij schonk Rachid in en wou dan de fles aan zijn mond zetten. Ineens staarde hij gebiologeerd naar de muur. Alsof hij een spook had gezien.

'Ben jij dat?' Pieter wist niet waarover hij had. William wees naar de tekening die Rachid twee maanden geleden had gemaakt. William kwam overeind en ging van dichtbij kijken. Rachid reageerde niet.

'Ja, dat ben ik,' antwoordde Pieter zakelijk. William floot tussen zijn tanden.

'Dit is knap, man.'

'Vind je?'

'Hé, kom op. Dit is meesterlijk.'

'Het is niet slecht.'

'Niet slecht? Het is waanzinnig goed. Wie heeft dit gemaakt?'

'Rachid.'

Rachid beduidde Pieter nog om niets te zeggen, maar het was te laat. William draaide zich om.

'Heb jij dit getekend?'

Rachid knikte.

'Dit is geweldig. Zou je er nog één willen maken?'

Pieter keek scheel. 'Wat moet jij met een tekening van mij?'

William lachte. 'Niet van jou, ezel. Van Sara.' Hij wendde zich weer tot Rachid. 'Sara is mijn vriendin. Eind juni is ze jarig en dan wil ik haar iets speciaals geven. Als verrassing.'

Pieter gooide roet in het eten. 'Dan moet ze wel poseren.'
Daar had William geen rekening mee gehouden. Zijn
mooie idee viel al meteen in het water.

'Dat hoeft niet.'

Alsof ze het geoefend hadden, draaiden Pieter en William
gelijktijdig hun hoofd naar Rachid. Dat was het eerste wat hij
zei sinds William binnen viel.

'Met een duidelijke en goeie foto lukt het ook. En een
recente natuurlijk.'

William pakte meteen zijn portefeuille en diepte een foto
op. 'Kun je het hiermee?' Hij gaf Rachid een pasfotootje.
Toen hij het had gekeurd zei Rachid: 'Ja, dat moet lukken.
Maar dan staat ze er ook precies zo op hoor.'

William was tevreden. Dan kwam het toch nog voor
elkaar. 'Wat vraag je ervoor?'

Rachid maakte een wegwerpgebaar. 'Niets. Ik doe het eh..
nu ja,... voor jou.'

William stak zijn hand uit. 'Bedankt. Dan sta ik bij je in
het krijt. Ik vind er wel iets op.'

Rachid drukte de hand en zei dat het echt niet nodig was.
Zo'n tekening stelde niet veel voor. Dat bracht protest van
Pieters kant teweeg. 'Dat opent perspectieven voor de toekomst hoor! Ik breng klanten aan en jij laat me delen in de
winst. Laten we zeggen twintig procent. Op vijfentwintig is
dat snel vijf euro. Dat vind ik een billijke regeling.' Het ijs
was gebroken. William wilde weten waar Rachid zo had leren
tekenen.

'Dat weet ik zelf niet eens. Thuis, aan tafel denk ik.'
Rachid was bescheiden. 'Veel speelgoed had ik niet. Een

doos kleurpotloden, dat was alles. Zo is het begonnen, denk ik.'

'En een boel talent,' voegde Pieter er meteen aan toe. Hij was best gelukkig dat William zo onverwachts was komen binnenvallen.

William keek naar Rachid. 'Heb je zin om in het weekend mee naar de film te gaan?'

De vraag kwam zo onverwachts, dat Rachid ja zei zonder het te beseffen.

'Mooi, dat kun je Sara ontmoeten. Op foto is ze knap, maar in het echt is ze nog veel mooier. Is het niet, Pieter?'

Pieter krabde in zijn haar en met een knipoog naar Rachid grinnikte hij: 'Mmmmja, dat valt mee. Smaken verschillen.'

Rachid lachte.

18

Uit

Het was zaterdagavond omstreeks half elf. Rachid had het naar zijn zin. Het gezelschap viel mee. Waar had hij nu zo tegenop gezien? De kennismaking met Sara was bijzonder vlot verlopen. William had Rachid nog eens op het hart gedrukt, vooral niets over de tekening te zeggen. Buiten verwachting was het reuze gezellig geworden. Rachid was er zelfs voor te vinden, samen nog iets te gaan drinken. Waar het vroeger altijd strandde op een onverbiddelijk 'nee', was hij nu toegeeflijker dan ooit. Dat mocht wat Pieter betrof meer gebeuren. Hij moest maar niet te veel ineens willen. Moeder was verbaasd toen ze hoorde dat ze samen naar de film gingen. Dat had ze van Rachid niet verwacht. In zijn binnenste had Pieter stiekem getriomfeerd. Ze had nooit iets slechts beweerd over hun relatie. Maar hij wist dat ze het somber inzag. Maar Pieter had altijd gedacht: als je maar genoeg geduld hebt, komt alles in orde.

'Heb je nog broers of zussen?' hoorde hij zijn neef vragen. William was altijd zo nieuwsgierig. Of nee, geïnteresseerd. Want hij vroeg zelden iets zonder oprechte belangstelling. Zijn aandacht was nooit geveinsd.

'Ik heb een zus, Jamilah. Na haar geboorte kon mijn moeder geen kinderen meer krijgen.'

Dat wist Pieter niet eens. En dat soort dingen kwam William in vijf minuten te weten. Die slaagde er altijd in om in een recordtijd andermans vertrouwen te winnen.

'Jammer,' hoorde hij Sara zeggen. 'Ze kijken waarschijnlijk uit naar kleinkinderen...' Ze legde de vinger op de zere plek. Dat was een kleine schok. Rachid perste de lippen op elkaar en knikte. Sara zag haar flater te laat in en keek snel naar Pieter. Die deed er het zwijgen toe. Daar hadden ze het vorige week nog over gehad. Pieter had het probleem toen een beetje weggemoffeld. Nu stond het plotseling weer akelig dichtbij. Handig als hij was, leidde William het gesprek een andere kant op.

'Wat ga je later doen?'

Die vraag deed het altijd. Ach ja, dat was het! William stelde altijd maar vragen. Slim bedacht natuurlijk. Dan gingen mensen vanzelf vertellen. En het werkte. Ook bij Rachid. Die beweerde dat architectuur studeren een dure grap zou worden.

'Vraag dan toch een studiebeurs aan! Je hebt nog een jaar de tijd.'

Rachid zei dat hij dat ook van plan was. Hij moest alleen nog zien uit te vissen welke papieren hij moest hebben. En waar hij ze moest halen.

'Moeder kan je erbij helpen,' bood William aan. 'Die werkt op de administratieve dienst van het bureau voor leerlingenbegeleiding. Weet je, kom eens langs op een avond. Samen met Pieter.'

Dat was goed bedoeld, maar Pieter zag dat de uitnodiging niet in goede aarde viel. Rachid liep niet over van enthousiasme. Gelukkig merkte William dat meteen en hij zei: 'Ik kan het ook zelf opvragen. Ik speel je de informatie wel door via Pieter.'

Dat was goed geregeld.

Rachid en Pieter wandelden samen nog een eindje huiswaarts. Ze moesten dezelfde richting uit. Pieter fluisterde hem in het oor: 'Ik ben zo geil als boter. Kunnen we niet ergens snel een nummertje doen?' Rachid loerde een beetje achterdochtig naar Pieter. 'Heb je gedronken?' 'Emmers,' zei Pieter droog. 'Je hebt dus geen zin in een vluggertje.' 'Ik heb altijd zin,' gaf Rachid toe, 'maar ik weet me te gedragen. Anders had ik je in de bioscoop al genomen.' Pieter kreunde. 'Dan vergrijp ik me straks wel aan een lantarenpaal.' Rachid grinnikte. Pieter spreidde ineens zijn armen en huppelde over het trottoir. 'Wat krijg jij nu?' 'Mag ik niet vrolijk zijn, dan?' Rachid keek om. Enkele voorbijgangers ook. 'Beter van niet. Er zijn er voor minder achter de tralies beland.' De avond kon niet meer stuk. Dollend liepen ze door de nacht. Een paar straten verder gingen ze uit elkaar.

Rachid slenterde naar huis. Tobbend. Zijn achtergrond bleef een heikel punt in hun relatie. Pieter vroeg daarstraks wat er kon gebeuren indien de relatie uitlekte. Die vraag kwam steeds meer bovendrijven. Kreeg hij slaag of werd hij het huis uitgezet? Het idee alleen al bezorgde hem kippenvel. Hij zou veracht worden. Dat was zeker. Verstoten misschien, doodgezwegen. Voor zijn familie zou de schande niet te harden zijn. Dat kon hij zijn ouders niet aandoen. De Koran leerde dat de familie op de eerste plaats kwam. Maar Pieter werd steeds belangrijker voor hem. Hij kreeg hem niet meer uit zijn gedachten. Hij ademde Pieter. Aan tafel zat hij weg te dromen. Zijn moeder had er al opmerkingen over gemaakt. Had hij misschien een vriendinnetje? Moeders gezicht had vol hoop en vreugde gestaan. Jamilah had gezwegen. Ze deed of ze niets had gehoord, maar ze wist wel beter. Hij zat maar wat te lachen. Wat kon hij anders? Maar van binnen stormde het. Hij wilde zijn geluk uitschreeuwen.

In het begin kon hij zijn twee levens makkelijk gescheiden houden. Toegegeven, soms miste hij Pieter enorm. Maar zoals het tot voor kort liep, hoorde je hem niet klagen. Hij had het goed thuis. De avonden waren erg gezellig. Ze aten couscous of tajine. Er werd uitgebreid getafeld en urenlang verteld. Het nieuws over de familie in Marokko werd uitvoerig besproken. Dat was fijn. Al die heisa en drukte buitenshuis hoefde hij niet. En toch: na zo'n avond als nu had hij het moeilijk. William en Sara hadden hem zonder problemen aanvaard. Hij had zich vrij gevoeld. Nu moest hij terug naar zijn eigen kleine wereld. Zou hij dan voor altijd moeten zwijgen? Eeuwig smoezen moeten verzinnen? Hij kromp in elkaar. Kon hij maar samen met Pieter weg. Maakt niet uit waar naar toe. Weg! Gewoon weg!

19

Treiteren

'Jaja, ik ko-om.' De Big-Ben melodie schalde voor de tweede maal door het huis. Tante Nellie haastte zich naar de voordeur en struikelde over het vloerkleed. 'Shhhodvvvmilj....' Het was geen vloeken maar het leek erop. 'Straks kan ik weer in het gips.' Toen zette ze een fatsoenlijk gezicht en deed de deur open.

'Pieter!' Met een verwilderde blik in de ogen stond hij op de stoep.

'Wat is er met jou gebeurd?'

Ze trok hem naar binnen. Met horten en stoten kwam het verhaal eruit. Zoals altijd op woensdagmiddag was hij bij oma geweest. Op de terugweg dook hij nog snel een tijdschriftenwinkel in om voor moeder een televisieblad te kopen. Er waren enkele klanten voor hem en terwijl hij stond te wachten bladerde hij een tijdschrift door. Een 'jongens voor jongens blad'. Veel interessants stond er nooit in, maar de mooie foto's maakten veel goed. Toen kreeg hij opeens een gevoel van onbehagen. Een klant die de winkel uitliep, keek hem aan en wierp een smalende blik op het tijdschrift. Voor de etalage bleef de kerel even staan. Stik, dacht Pieter en bladerde verder. Toen Pieter na te hebben afgerekend buiten kwam, ontdekte hij dat de banden van zijn fiets aan flarden gesneden waren. En niet zo'n klein beetje. De dader had grondig werk verricht. Hij moest dus naar huis lopen, met de fiets aan de hand. Een eind verder kwam een jongeman naast hem fietsen. Dezelfde kerel uit de winkel. Eerst was er geen vuiltje aan de lucht, maar toen begon hij Pieter uit te lachen.

'Met het fietsje op stap? Zijn de bandjes stuk?' Pieter ging sneller lopen, maar het mocht niet baten. Tot overmaat van ramp begon die kerel te schelden. 'Vuile flikker, kleffe nicht!' De griezel wist van geen ophouden. Hij rochelde vervaarlijk en een seconde later kreeg Pieter een enorme klodder speeksel op zijn wang. De schrik sloeg hem om het hart. Hij liet zijn fiets vallen en zette het op een lopen. Maar dat was olie op het vuur. De achtervolging werd ingezet. Drie straten verder woonde tante Nellie. Daar ging hij aanbellen. Maakte weinig uit of tante thuis was. Die ander wachtte vast niet tot de deur openging.

'Daar heb je goed aan gedaan.' William was halverwege het verhaal binnengekomen. Aan een half woord had hij voldoende om alles te reconstrueren.

Tante was ontzet. William schoot zijn jas aan om Pieters fiets op te halen.

'Blijf intussen hier, dan loop ik straks mee tot bij je thuis.'

Tante haalde een glas water en stelde voor koffie te zetten, maar Pieter had geen trek. Twintig minuten later was William terug. Met opgetrokken knieën zat Pieter op de sofa.

'Staat het soms op mijn gezicht te lezen?'

William zei verontwaardigd: 'En wat dan nog? Is dat een reden om iemand te treiteren?'

Bij Pieter thuis vatte William in een paar zinnen het voorval samen. Pieter was hem er dankbaar voor.

Vader en moeder waren aangeslagen.

'Moeten we de politie niet inlichten?' wilde moeder weten. 'Alsof dat iets uithaalt. Ik weet niet eens hoe die kerel eruitzag,' zei Pieter gesmoord.

'Ik zou het toch maar overwegen,' zei William. 'Het kan nooit kwaad. Die man heeft misschien meer van dat fraais op zijn kerfstok.'

Moeder aarzelde geen moment meer en belde de politie. Er kwam een agent langs. Op de meeste vragen bleef Pieter het antwoord schuldig. Het boekje, waarin de agent van alles had genoteerd, werd dichtgeklapt en verdween in zijn binnenzak.

'De kans dat die kerel bij de kraag gevat wordt is bijzonder klein. Wellicht gaat het om een flauwe, misplaatste grap,' zei hij formeel.

Ja, dacht Pieter, gelachen dat ik heb...

'Neem gerust contact op, mocht het nog eens gebeuren.'

Waarop Pieter bedacht dat één keer wel volstond.

De agent groette en vertrok.

Die avond kwam Rachid nog langs. Pieter had hem gevraagd te komen. De spanning was van hem afgevallen en hij had behoefte aan gezelschap. Toen het hele voorval verteld was, veerde Rachid op uit zijn stoel.

'Zie je nu wel dat je voorzichtiger moet zijn. Hoe vaak heb ik het je al gezegd. Maar jij pleit altijd voor openheid. Je hebt die agent toch niets over mij verteld?'

Pieter reageerde niet en zat lusteloos op de rand van zijn bed. Hij had geen zin in een discussie. Het liefst wou hij dat Rachid nu heel dicht bij hem kroop en zijn arm om hem heen sloeg. Maar die maakte geen aanstalten om hem op wat voor manier dan ook te troosten. Het prikte achter zijn ogen. Ze zwegen.

'Ik stap op.' Het klonk koel en zijn woorden scheurden de stilte doormidden. Vluchtig drukte hij Pieter een kus op de mond en vertrok. Pieter bleef achter. Een traan gleed traag over zijn wang.

20

Verzoening bis

'Ik dacht dat ik je nooit meer zou zien,' murmelde Pieter schor. Wel drie keer had hij het berichtje op zijn gsm gelezen. 'Mag ik straks langskomen?' Eerst had hij vertwijfeld gedacht dat het een vergissing was. Dat Rachid het per ongeluk naar hem had gestuurd terwijl het voor iemand anders bestemd was. Maar dat vond hij belachelijk. Rachid was altijd zo precies. Nee, zo'n flater beging hij niet. Meteen had hij geantwoord. En een beetje angstig had hij Rachids komst afgewacht. Die was binnengekomen en had hem, tot Pieters verbazing, innig op de mond gezoend. Daarna was hij op de vensterbank gaan zitten.

'Ik eh... ik had hier moeten blijven. Gisteravond. Ik had je niet alleen mogen laten.'

Pieter viel uit de lucht.

'Ik heb mijn kussen wel honderd keer opgeklopt. Alle kanten van mijn bed heb ik uitgeprobeerd. Om half twee lag ik nog wakker. Toen wist ik het. Ik wil je niet kwijt. Ik kan niet zonder jou.'

Pieters ogen lichtten op. Hij wou iets zeggen, maar Rachid beduidde hem te zwijgen.

'Ik ben hier geboren en opgegroeid, maar mijn leven speelt zich voor drie kwart elders af. Tussen Marokkaanse gewoonten en gebruiken. Het feit dat ik je graag mag... dat ik... verliefd op je ben...' Hij stokte even en zuchtte. 'Zie je, zelfs het zeggen dat ik van je hou, valt me al zwaar. En wanneer er iets gebeurt zoals gisteren, dan sla ik op tilt. Ik kan de confrontatie niet aan.' Hij legde zijn wang tegen de ruit en keek naar buiten. De ondergaande zon legde een rode gloed op zijn gezicht. Hij sloot zijn ogen. Pieter durfde niets te zeggen.

'En toch blijf je geduldig. Alle offers komen van jouw kant.' Rachid draaide zijn gezicht naar Pieter. 'Nu en dan heb je wel eens gezeurd. Maar dat is vroegtijdige ouderdom denk ik.' De kwinkslag brak de spanning een beetje en Pieter voelde zich duizend kilo lichter. 'Ik wil je niet kwijt, Pieter. Als ik bij je ben dan voel ik me...' Hij zocht het juiste woord maar vond het niet. Bestond het wel? Bedremmeld keek hij naar Pieter, maakte toen een gebaar van onmacht. Die had ontroerd geluisterd en liep nu naar Rachid. Hij trok hem uit de vensterbank en sloot hem in zijn armen. Zo bleven ze een hele tijd staan. Alles leek nieuw en fris.

'Dit is hemels,' fluisterde Pieter.

Rachid zweeg. In Pieters omhelzing voelde hij zich thuis. Met hem wilde hij oud worden. Er was alleen nog Pieter.

'Blijf je eten, Rachid?' Moeder stelde de vraag uit gewoonte, maar ze wist eigenlijk al dat hij zou bedanken en weigeren.

'Graag, ja. Als het kan.' Pieters adem stokte. Moeder was verrast, maar kon het keurig verbergen. Ze reageerde heel normaal.

'Geen enkel probleem. Er is meer dan genoeg.' Rachid belde naar huis. Hij moet razendsnel een smoes bedacht hebben, dacht Pieter. Hij zal wel niet vertellen dat hij hier blijft eten. Zijn ouders hadden geen vermoeden en slapende honden moest je niet wakker maken. Terwijl moeder de tafel dekte, wisselde Pieter met haar een blik van verstandhouding. Vreemd genoeg verliep alles naar wens. Er werd gelachen en gepraat. Vader en moeder vonden de juiste woorden en Rachid nam wonderwel deel aan het gesprek. Een beetje bedeesd had Rachid gevraagd of er varkensvlees op het menu stond. Moeder had hem gerustgesteld. Ze aten kipfilet die avond.

'Lust je geen varkensvlees,' vroeg Pieter toen ze aan tafel zaten. Rachid legde uit dat het verboden was. Dat het in de Koran stond, dat dacht hij tenminste. Nieuwsgierig als ze was wou moeder dadelijk weten waarom het niet mocht. Een beetje hulpeloos haalde hij zijn schouders op. Hij bekende dat hij het antwoord schuldig moest blijven. Moeder begon te lachen.

'Veel wijzer worden we van jou ook niet.' Waarop Rachid beloofde dat hij het zou navragen. De beklemmende stiltes waarvoor Pieter had gevreesd, bleven achterwege. Dit was precies waar hij altijd op gehoopt had. Misschien was dit een droom en zou hij straks ontwaken. Rachid lachte hardop. Pieter keek op en lachte mee. Uit louter vrolijkheid. Hij kon de hele wereld wel zoenen, zo uitgelaten voelde hij zich.

'Wil je nog een kop koffie?' Nu zou het komen. Nu zou Rachid opstaan, bedanken voor de uitnodiging, en zeggen dat hij nodig naar huis moest.

'Ik hou niet zo van koffie. Maar als u muntthee hebt, dan wil ik graag een kop thee.' Dit kon niet. Had hij nu goed gehoord? Wou Rachid ook nog thee? En durfde hij er ook

nog om te vragen? Dit was gewoon een feest! Met een geluk-
zalige blik keek Pieter in het rond.

**

De examens stonden voor de deur. Elk jaar was het vaste prik:
wanneer er gestudeerd moest worden, scheen de zon. Pieter
was naar het park getrokken. Hier had hij Rachid vorig jaar
voor het eerst ontmoet. Wat vloog de tijd. In kleermakers-
zit met z'n cursus Engels op schoot, zat hij in het gras. Van
studeren kwam er niet veel. Hij werd constant afgeleid door
spelende kinderen of voorbij kuierende mensen. Het was
kwart voor vijf. Hadden die nu echt niets anders te doen?
Eten klaarmaken, boodschappen doen.... Hij zat hier ook,
maar hij studeerde tenminste. De gedachte bracht hem terug
tot de werkelijkheid. Hij moest zijn aandacht bij 'the relative
clauses' houden of hij bakte er morgen niets van. Ach, het zat
wel goed. Engels was zijn beste vak. Hij sloot zijn ogen en
ging achterover in het gras liggen. Straks zou hij Rachid even
bellen. Eind juni vertrok die naar Marokko. Verdorie. Twee
weken! Akelig lang. Eind juli ging hij zelf met zijn ouders
naar Zuid-Frankrijk. Voor tien dagen! Op die manier vielen
er grote gaten in hun vakantie. Hij schrok. Er werd aan zijn
kuit gelikt. Een verfoeilijk mopshondje snuffelde nu aan zijn
voeten. Hij joeg het beest weg. Wat een lelijk monstertje. Met
zo'n ineengedrukt smoel. Konden ze die beesten nou echt
niet aan de lijn houden? Die honden laten hun adreskaartje
achter waar ze zin hebben. Zelfs midden op het gazon. Ga
maar eens liggen zonnen op een grasperk vol drukwerk. Leuk
is anders. Hè, shit! Zijn humeur was naar de bliksem. Hoe
kwam dat nu?

21

Zonnen volgens de wet

Eind juni. Een vroege maandagochtend. Enkele ijle nevel-
slierten draaiden nog boven de akkers. Het beloofde een zon-
overgoten dag te worden. Middelbare scholen hadden een
dag vrij, zodat de leraren de kans kregen punten op te tellen
en eindcijfers te berekenen. Pieter en Rachid profiteerden van
de ochtendkoelte om naar De Vijvervliet te fietsen. Een groot
natuurdomein dat zestien kilometer buiten de stad lag. Er was
een meer en je kon er een bootje huren. Druk zou het er niet
zijn, gokte Pieter, want de vakantie was nog niet begonnen.
Toen ze na een uurtje fietsen bij het meer aankwamen, lag het
hele domein er nog ongerept bij. Lang zou dat niet duren. Ze
zochten een plaatsje dieper in het bos. Daar mocht je normaal
niet komen, maar ze lapten de regels aan hun laars. Met de
fiets aan de hand strompelden ze tussen bomen en struiken.

'Au, verdorie!' Pieter liet zijn fiets vallen en krabde als
bezeten aan zijn been.

'Wat heb je?' wilde Rachid weten.

'Ontiegelijk veel jeuk,' klonk het laconiek.

'Hoe komt dat dan?'

Pieter keek hem aan met een vernietigende blik. 'Wat
dacht je? Brandnetels natuurlijk!'

'Vooral niet krabben dan. Daar moet goudsbloemzalf op.
Dat helpt,' adviseerde Rachid.

'Ja, die heb ik in mijn rugzak zitten. Daar steekt een hele apothekersvoorraad in,' foeterde Pieter.

Achter een heuvel vonden ze enkele vierkante meters zon die ze zonder scrupules voor zich opeisten. Pieter spreidde behendig zijn handdoek over het groene tapijt. 'Een toreador doet het mij niet na,' prees hij zichzelf.

'Als je maar niet denkt dat ik de stier ben,' diende Rachid hem gevat van repliek. Shorts en T-shirts vlogen uit. In de verte sloeg een torenklok tien uur. Dit zou een dag met een gouden randje worden, wist Pieter. Om in gedachten en dagboeken te koesteren. Hij vlijde zich neer. Pieter liet zijn ogen dwalen over het lichaam dat hem zo dierbaar was geworden. Hij kende elke vierkante centimeter van dat bronzen lijf. Maar het bleef gissen naar wat in dat donkere hoofd leefde.

'Waar denk je aan?' Pieter was betrapt.

'De zon legt amber op je lichaam. Ik huiver. In mij laaien hoog de vlammen van begeren.'

Pieter had met luide stem enkele regels poëzie gereciteerd. Rachid keek hem aan met open mond.

'Wat zeg jij nu? Ben je stoned? Of heb je aan de fles gezeten?'

'Nee, maar ik wil wel.' Hij sprong overeind en liep naar de fietsen. Uit z'n tas diepte hij een fles water op. Het water was inmiddels lauw, maar je kon er je dorst mee lessen. Hij gaf de fles aan Rachid door.

'Ken je Abu Nuwas,' vroeg Pieter.

'Nee. Wie is dat?'

'Een Arabische dichter. Schreef erotische gedichten. Lang geleden.'

'Waarom deed hij dat?' Dat was de nuchtere kant van Rachid.

Pieter zuchtte en draaide de dop weer op de fles.

'Om de verbeelding te prikkelen.'

'Pfft. Ik heb liever dat er iets anders geprikkeld wordt.' Rachid keek vervaarlijk.

'Daar is die verbeelding nu precies voor nodig,' probeerde Pieter uit te leggen. Maar al snel gaf hij het op. Hij greep zijn handdoek en ging in de zon liggen. Die brandde meedogenloos en Pieter was een dankbaar slachtoffer. Heerlijk, een stukje Spanje op de heide. Wat een schitterend begin van de zomer.

'Smeer je in,' raadde Rachid hem aan. 'Met je babyhuidje ben je zo geroosterd.'

Zwijgend greep Pieter de sunblock en ging rechtop staan. Tergend traag en met lange halen begon hij zich in te smeren. Het miste zijn uitwerking niet. Met zijn hand boven zijn ogen volgde Rachid het hele schouwspel. Hij hield het niet meer uit en kroop naar Pieter. Handig pelde hij hem uit zijn zwembroek. Pieter liet het allemaal toe. Hij had er zelfs op gerekend. Het was nog vroeg, maar op genieten stond geen tijd vond hij. Maar liefde moet van beide kanten komen. Hij dwong Rachid op zijn rug en sleurde zijn zwembroek uit.

'Draai je om.' Rachid opende één oog.

'Waarom?'

'Ik ga je masseren.' Er gleed een zweem van ontucht in Pieters ogen. Hij merkte de achterdocht tussen Rachids wimpers.

'Toe. Je zult er geen spijt van hebben.' Het ging niet snel

genoeg. Pieter rolde Rachid op zijn buik en ging schrijlings over zijn bovenbenen zitten. Hij zette zijn smalle handen in de lendenen. Met langzame bewegingen kneedde en kneep hij de spieren van de sterke, brede rug. In cirkelvormige bewegingen trok hij naar boven. Het lichaam ontspande en werd week. Met zijn vingertoppen kroelde hij over Rachids ronde billen. Die giechelde.

'Dat kietelt.'

Pieter ging door. Uit pure plagerij. Rachid knorde. Hij gooide Pieter van zich af en ging op zijn rug liggen. Ze glimlachten. Pieter boog het hoofd en begroef zijn gezicht tussen Rachids dijen. Zijn lippen dwaalden over de zoute huid. Liefkozend en teder. Kronkelend en kreunend gleden ze langs en over elkaar. De zon zuchtte en liet een tros wolken passeren.

Rachid lag uitgeteld op het gestreepte strandlaken. Liefde kon vermoeiend zijn. Pieter lag naast hem. Ze zochten elkaars hand. Zonder op te kijken. De struiken ritselden.

22

Uit het niets...

Rachid peddelde zwijgend naast hem. Klein, nietig, schuw en met gebogen hoofd. Een schandvlek op het blazoen van de familie. Rachid zou gebrandmerkt worden en met miljoenen zweepslagen gegeseld. Hij zou naar het schavot worden geleid. Allahs toorn zou over hem neerdalen. De media zouden uitvoerig berichten en de geschiedenisboeken voor eeuwig gewag maken van de misdaad.

Pieter begreep het niet. Hoe was het mogelijk dat liefde, dit zalige, hemelse gevoel, een zonde was. Dat andere mensen daar uitspraak over deden. Dat ze als buurtrechters bepaalden wat goed of fout was. Dat ze het spreekgestoelte beklommen en op de troon van God plaatsnamen. Waar haalden die mensen het lef vandaan om over hun liefde te oordelen? Oké, je hoorde haar misschien niet in het openbaar te bedrijven. Tenminste niet in al haar glorie. Daar zouden vader en moeder ook wel iets over zeggen. Maar hadden ze hem met een meisje betrapt, dan was het met een sisser afgelopen. Hooguit wat gegniffel, een vette knipoog en misschien als raad, 'wees een beetje voorzichtig, jong'. En met een gevoel van 'wij broeders onder elkaar' zou het door de vingers gezien worden. Maar hier betoonden twee jongens elkaar hun diepste tederheid. Schending van de goede zeden, beweerde de oudste agent. 'Dit is publiek domein. Geen naaktstrand.' Bijgevolg

moest de wet worden toegepast. Aan een proces-verbaal ont-
kwamen ze niet. De agent beweerde wel dat hij het begreep,
maar veel merkten Rachid en Pieter er niet van. De ander
had spotlichtjes in zijn valse varkensoogjes. Met een fijn
glimlachje wachtte hij tot ze hun zwembroek hadden aange-
trokken. Inwendig beleefden ze vast een immens plezier. Ze
gingen die twee snotapen wel eens een lesje leren. Tergend
traag noteerde de oudste hun naam en adres.

'Jullie horen er nog van. Prettige middag nog.' Waar ze zo
ineens vandaan waren gekomen, was een raadsel. Pieter noch
Rachid had hen horen aankomen. Ze lagen innig verstrengeld
met hun aandacht bij wat de langste en mooiste zoen ooit
moest worden. Ze waren zich een ongeluk geschrokken. De
twee agenten stonden ongetwijfeld al een hele tijd te kijken.

Zijn ouders hadden eerst niets gezegd. Alsof er niets aan de
hand was, hadden ze het over het avondeten. En dat het morgen waarschijnlijk ging regenen. Dat had moeder gehoord op
de radio. En dat tante Nellie weer eens voor een lang weekend
naar Londen ging. William bleef liever hier en zou zolang
bij Sara thuis logeren. Haar ouders hadden er niets op tegen.
Pieter kreeg de indruk dat zijn ouders het onderwerp koste
wat het kost vermeden. Ze vonden het minstens even gênant
als hij. Maar toen ze klaar waren met eten, kwam het toch ter
sprake. Een bekeuring zat er niet in, zei vader. Omdat zowel
Pieter als Rachid minderjarig waren. Wel kregen ze een ver-
maning. Dat stond vast. Al kreeg hij duizend vermaningen.
Wat kon het hem schelen. Voor Rachid was het erger. De
dag was zo mooi begonnen. En dan door zo'n stomme agent

betrapt worden, terwijl je ligt te tortelen. Het zal je beroep maar zijn. Hij moest lachen.

'Waarom lach je?' Moeder keek hem vragend aan. Wist hij zelf wel? Hij haalde zijn schouders op. 'Geen idee. Het was helemaal niet grappig. Toen die agenten daar stonden. Het was... Ik weet niet wat het was.' Vader staarde naar zijn lege bord. 'Je kunt er maar beter om lachen.'

Pieter viel uit de lucht. Zijn vader die altijd zo correct was, vond het blijkbaar helemaal niet erg.

'Tja, jongen. Het zal je misschien verbazen maar eh... Wij zijn ook jong geweest hoor.' Moeder verzamelde de borden.

'Maar ik kon me gedragen,' zei ze. Ze keek haar man aan en leunde zwijgend achterover met een houding van 'leg jij het maar verder uit'.

Vader plantte zijn ellebogen op tafel en wreef de handen in elkaar. 'Jullie zijn niet de enige die in de vrije natuur gaan stoeien. Dat doen haast alle eh... verliefde stellen.'

Pieter trok zijn wenkbrauwen op. 'Toen we naar het bos gingen, was je er anders niet over te spreken.'

Vader pruttelde verongelijkt. 'Dat is iets anders. Je moet je geen ziekte op de hals halen. Maar 's zomers in het gras met z'n tweetjes...' Hij zocht hulp bij moeder. Maar die deed of ze het niet zag.

'Ik ga alvast koffie zetten,' zei ze poeslief. Met de borden en het bestek verdween ze in de keuken.

'Goed,' ging vader zuchtend verder, 'zoals je al kunt raden, hebben wij dat ook gedaan. En ik heb er geen spijt van. Je moeder daarentegen...' Dat laatste had hij extra luid gezegd.

'Spijt???' Moeder kwam terug en zette de handen op de heupen. 'Was het maar meer gebeurd. En met meer tijd. Het moest altijd vlug, vlug, vlug. Omdat je vader bang was betrapt te worden.'

'Was ik maar zo vlug geweest,' verzuchtte Pieter.

De volgende dag kwam er een agent aan de deur. In beknopte termen deed hij het voorval uit de doeken. 'Voor het geval dat de zoon dat zelf nog niet had gedaan.' En dat zoiets niet door de beugel kon. Het gebeurde zou zonder gevolg blijven. Maar vader en moeder moesten beloven hun zoon beter in de gaten te houden. Vader keek berouwvol en beloofde dat het bij die ene keer zou blijven. Ook moeder deed een duit in het zakje.

'Wees gerust meneer, we houden hem kort.' Ze speelden het perfecte en degelijke echtpaar. 'Jullie verdienen een Oscar te winnen voor die prestatie,' zei Pieter. 'Liegen zonder te ver- blikken of verblozen. Het is handig als je het kunt.'

Vader kuchte en werd ernstig. 'Kijk voortaan beter uit. Het is niet leuk om horen, maar twee jongens samen ligt nog moeilijk bij sommige mensen. Met een meisje had het minder heisa gegeven.'

Pieter was opgelucht. Het was een pak van zijn hart dat het zo was afgelopen. Maar hij dacht aan Rachid. Die zou vast ook bezoek krijgen. De agent liet het hier niet bij, zoveel was zeker. Hij kreeg een angstig voorgevoel. Dit liep nooit goed af. Bij zijn moeder ging hij z'n hart luchten.

'Wacht nu maar eerst af. Misschien reageren Rachids ouders helemaal anders dan je verwacht. Voorbarige conclu- sies deugen niet.'

Pieter ging in de tuin zitten. Zijn moeder bedacht dat haar zoon gelijk had, ze kon inderdaad goed liegen. Maar wat haatte ze dat, de waarheid verzwijgen om hem geen pijn te doen.

Pieter maakte zich zorgen. Op zijn sms-jes had Rachid niet geantwoord. Moeder had hem aangeraden er wat tijd overheen te laten gaan. Maar nu werd hij echt ongeduldig. Twee dagen al had hij geen nieuws van hem. Straks vertrok Rachid naar Marokko en zagen ze elkaar twee weken niet. Meer dan een uur zat hij op bed. Besluiteloos. Met zijn gsm in de aanslag. Hij wist niet wat hij moest doen en overdacht alle mogelijkheden. Wat kon er gebeuren als hij belde? En waarom nam Rachid geen initiatief? Pieter belde. Al hoorde hij maar even Rachids stem. Als die hem met één woord kon verzekeren dat alles goed was dan was hij gerustgesteld. Hij had een heleboel geduld en kon als het moest de hele vakantie wachten. Maar de ongerustheid moest ophouden. Hij hoorde de voicemail.

'Spreek een bericht in voor – Rachid Mhalami.' Tuut.

'Rachid? Met Pieter. Kun je mij alsjeblieft terugbellen? Ik wil weten hoe het met je gaat. Bel me, alsjeblieft.' Tien seconden. Langer had het niet geduurd. 's Avonds kreeg hij een sms-je.

'Beter niet bellen nu. Heb problemen. Neem contact met je op. Rachid.' Hij liet het bezinken en ging toen naar beneden. Neerslachtig kroop hij op de bank. Moeder legde haar boek weg.

'Helpt het als je het mij vertelt?' Zonder op te kijken liet hij moeder lezen wat Rachid had gestuurd.

23

Voorgoed

Pieter was sinds twee dagen terug. Samen met zijn ouders was hij tien dagen in Zuid-Frankrijk geweest. Het was begin augustus en nog steeds was er geen nieuws van Rachid. De eerste twee weken van de vakantie was Rachid in Nador bij zijn grootouders geweest. Maar nu moest hij toch allang terug zijn. Waarom liet hij niets van zich horen? Pieter hield het niet meer uit. Bellen had hij niet gedaan. Dat had Rachid hem gevraagd. Maar als hij nog langer geduld moest oefenen, werd hij gek. Elke dag had hij aan Rachid gedacht. Een fijne vakantie was het voor Pieter niet geworden. Hij had zijn best gedaan om zijn gepieker te verbergen. Maar vader en moeder waren ook niet van gisteren. Die merkten wel wat hem dwars zat. Ze hoopten vurig dat er bij hun thuiskomst nieuws van Rachid zou zijn. Dat was helaas niet het geval. Nog een dag wachtte Pieter maar dan, 's avonds, belde hij Rachid. Het nummer was niet meer in gebruik. In een stoutmoedige bui had hij naar zijn huis gebeld, vurig hopend Rachid aan de lijn te krijgen. Toen Rachids vader opnam, brak Pieter het gesprek snel af. Radeloos was hij. Dit was al de vierde avond dat hij rondhing in de buurt waar Rachid woonde. De kans bestond immers dat hij hem tegen het lijf liep. Op dertig meter van Rachids huis trok hij de wacht op. Hoe lang hij er al stond, wist hij niet, maar opeens ging de deur open.

Een meisje kwam buiten. Van op afstand herkende hij haar. In een opwelling rende hij achter haar aan. Hij moest haar spreken. 'Jamilah.' Ze stond stil en keek om. Hij rende naar haar toe. Op haar gezicht zag hij een blijk van herkenning. Ze maakte aanstalten verder te lopen, maar bedacht zich. 'Waar is Rachid? Ik moet hem zien, Jamilah. Alsjeblieft, zeg het mij. Waarom belt hij niet? Waarom heeft hij zijn nummer veranderd?' Uit elk woord gutste wanhoop.

'Hij is in Nador. Pa heeft het zo beslist. Het is beter voor hem.'

'In Nador? Is hij nog niet terug dan? Hoe lang blijft hij daar?'

'We hebben de politie aan de deur gehad. De buren kwa- men vragen of er iets gebeurd was. Pa was woest. Zo verne- derd worden.' Pieter hoorde het niet.

'Jamilah, wanneer komt hij terug? Ik moet hem zien.'

Ze sloot haar ogen en haalde diep adem. 'Hij is in Nador,' zei ze nog eens. 'Hij blijft er. Hij komt niet meer terug.'

Langzaam drong het tot hem door. Rachid was weg. Voor- goed. Hij wankelde en zocht steun tegen de muur.

Ze zag hoe moeilijk hij het had. Zachtjes ging ze verder: 'Het is beter zo. Voor de familie, voor hem, voor jou... Geloof me, het is beter. Hij zal er een beter mens worden. Hij zal sterk worden. Onreine gevoelens leren onderdrukken. Hij zal de juiste keuzes maken.'

Onreine gevoelens. De juiste keuzes! Het duizelde in zijn hoofd.

'Onreine gevoelens. Hoe kun je zoiets zeggen. Wat Rachid

en ik hadden was het mooiste, het liefste, het...' Zijn stem brak.

'Het is een zonde! Het staat zo in de Koran. Daarvoor kiezen is verwerpelijk.'

Dat ze het over haar lippen kreeg! Alsof hij ervoor gekozen had.

Hij vond zijn stem terug. 'Hou je van blauwe ogen?' Zijn rustige toon ontwapende haar. Jamilah keek hem niet begrijpend aan. Pieter herhaalde zijn vraag. 'Had je niet liever blauwe ogen?'

Ze haalde haar schouders op en knikte aarzelend.

'Als kiezen zo eenvoudig is... waarom heb je dan zwarte ogen?'

Ze zweeg.

'Rachid hield van mij en ik van hem. We deden niemand kwaad. Leg mij dan eens uit wat daar zondig aan is?'

Hij liep naar huis. Verdoofd. Thuis sloot hij zich in zijn slaapkamer op. Er lag een steen op zijn hart. Zuchten lukte niet. Hij zag de donkere ogen, het bos, de mahoniehouten sierkist, de zilveren kan, de verfrommelde tekening aan de muur... Langzaam welden de tranen op in zijn ogen.

24

Zomer zonder...

De jongste weken bracht hij veel tijd op zijn kamer door. De carrousel van gedachten draaide zonder ophouden. Aldoor hetzelfde rondje. Keer op keer stelde hij zich dezelfde vragen. Was hij te ongeduldig geweest? Had hij schuld aan wat er gebeurd was? Steeds opnieuw doken dezelfde beelden op. Wat hij ook vastpakte, er kleefden altijd stukjes Rachid aan. Zijn hele kamer ademde Rachid. Meermalen nam hij zich voor dat het nu maar gedaan moest zijn. Dat hij zijn leven weer op de rails moest zien te krijgen. Soms lukte het hem ook wonderwel. Maar op een moment als dit overviel de droefheid hem. Dan werd het hem te machtig. En dan dook Rachid uit het niets op. Op foto's, uit brieven of als de radio een liedje speelde dat ze samen hadden geneuried. Daar had hij gezeten of gelegen. Dat had hij gezegd, verteld of voorspeld. Vader en moeder hadden niets gevraagd. Als Pieter boven was, overlegden ze met elkaar, op gedempte toon. Wat konden ze doen of zeggen. Ze bleven machteloos. Moeder spoorde hem aan om toch iets te gaan doen. Vergeefs probeerde ze hem buiten te krijgen. Hij had geen zin om naar buiten te gaan. Ondanks het stralende weer.

Beneden hoorde hij stemmen. Moeder verwachtte geen bezoek. Hij luisterde en meende de stem van tante Nellie herkennen. Hij ging naar beneden. Het was altijd gezellig als ze er was. Tante Nellie zat met moeder aan tafel. Ontdaan.

'Sara heeft een ongeluk gehad.' Hij stond aan de grond genageld.

'Wat?' Moeder knikte.

'Ze stak de straat over. Een auto reed door het rode licht.' Tante Nellie snoot haar neus en zei: 'Ik kom van het ziekenhuis. De kans dat ze het haalt is klein. William mocht er vijf minuutjes bij. Maar hij wou blijven.'

'Ik ga ernaar toe,' zei Pieter en even later zat hij op de fiets. Moeder had nog geroepen dat hij voorzichtig moest zijn. In het ziekenhuis liep hij de lange gangen door, opende wel duizend deuren en rende trappen op. Liften kwamen nooit als je ze nodig had, leek het. Toen hij eindelijk op de afdeling Intensive Care was aanbeland, zag hij William zitten. Voor zich uit starend. Hij keek op en Pieter zocht naar woorden. Wat kon hij zeggen? Ze zaten naast elkaar en waren samen stil. Hoelang? Pieter wist het niet. Geruisloos draaide een brede deur open. In het gezelschap van een dokter kwamen Sara's ouders naar buiten. De dokter wisselde nog enkele woorden. Sprak hij ze moed in of juist niet? Pieter kon het niet horen. Sara's moeder zag de jongens en kwam hun kant op. Ze herkende Pieter en knikte.

'William, ga naar huis jongen. Je kunt hier niets doen. Mijn man zal je thuis brengen.' Heel even keek ze naar Pieter alsof ze bij hem hulp zocht. Ze richtte zich weer tot William en overtuigde hem naar huis te gaan.

'We bellen als er iets is,' beloofde ze. Pieter beaamde dat

dit wellicht het beste was en trok William zachtjes overeind. Die gehoorzaamde en liet zich naar de wagen leiden.

Ze hadden gegeten. Op de televisie speelde een of andere soapserie. Niemand keek. Om half negen ging de telefoon. Sara was overleden. De dokter had met zijn collega's overleg gepleegd alvorens een beslissing te nemen. Al snel was duidelijk dat niets kon helpen. Omzichtig en tactvol werd de familie ingelicht. 's Avonds zouden de toestellen afgekoppeld worden. Haar ouders belden tante Nellie. Of ze William op de hoogte wilde brengen? Het leek een onmogelijke opdracht. William incasseerde het nieuws als verdoofd. Hij hoorde het wel, maar besefte het niet. Ook niet de uren daarna. Pas de volgende dag toen hij, uit gewoonte, Sara wilde bellen, drong het goed tot hem door. Hij ging in de tuin zitten. Met zijn rug naar het raam. Tante wist dat hij huilde. Het was goed. Dat verdriet moest eruit.

De begrafenis was ingetogen en sereen. Naast familie en kennissen kwamen vele vrienden afscheid nemen van Sara. Ook Pieter was er. Haar ouders toonden zich sterk en droegen het verdriet waardig. William hield zich kranig. Tot hij een laatste maal voor de kist stond, zijn gezicht verwrongen van verdriet. Na de begrafenis was hij stil en in zichzelf gekeerd. De weken daarna keerde hij tot de werkelijkheid terug. Iedereen was geduldig. Er was geen haast bij.

Toen hij op een avond met Pieter ging wandelen, begon hij te vertellen. 'Geen verwondingen, geen schrammetje. Niets had ze, niets!' William had verwacht gruwelijke verwondingen te zien. Maar nee, ze lag daar in dat witte bed met apparaten eromheen. Alsof ze sliep, zo leek het. Ze had niets. De bloedingen zaten in de hersenen. Klinisch was ze dood.

De zomer was ongekend mooi. Daar was iedereen het roerend over eens. Pieter was met William in de stad. Ze hadden twee plaatsjes bemachtigd op een terras. Een vrolijke stoet van vrijdagavondmensen trok voorbij. Zwijgend keken ze toe. Pieter had zijn koffie voor zich en William nam voor één keer een glas witte wijn. Het nieuwe schooljaar zorgde voor afleiding. Goddank. Want de voorbije maanden waren zwaar geweest. In pijnlijke momenten hadden ze elkaar gezocht en gevonden. Woorden waren onbelangrijk. Het begrip lag in de stilte. Ze worstelden allebei om het verlies te boven te komen. Het had diep in hun ziel gekerfd. Samen hadden ze het verdriet gedeeld. De herinneringen mochten verschillend zijn, de pijn was dezelfde. Dat besef had hen gesterkt. Zowel moeder als tante Nellie hadden gemerkt dat de band intenser werd.

'Wat goed dat ze elkaar hebben,' zuchtte moeder. 'Ik had me anders geen raad geweten.' Tante Nellie knikte instemmend. 'Ik had ze dit alles graag bespaard.'

25

Vier jaar later

De herfst had tinten in de bomen getoverd. Over de stad lag een trieste sluier. Tijd was vergaan en veel pijn gelouterd. Een jaar rolden de herinneringen af en aan als de golven van de zee. Heftig en hevig soms, en daarna kabbelend, zonder veel deining. Het gemis had zich met het leven van alledag vermengd en eiste minder aandacht. De beelden hadden een plaats verworven op de achtergrond. Pieter wist ze blindelings te vinden. Maar de behoefte om ze dagelijks op te poetsen was afgezwakt. Wat haalde het uit? Hij had het enkele vrienden van zijn klas verteld. Ook wat er met Rachid was voorgevallen. Eén van hen zei dat hij het wist. Of toch zo goed als. Hij had Pieter een paar keer met dezelfde jongen gezien. De optelsom was snel gemaakt. Pieter vond zijn discretie wel opmerkelijk. Hij kon er nu open met zijn klasgenoten over praten. Dat maakte het hem makkelijker. Het laatste jaar op de middelbare school werd een stuk eenvoudiger. Na de middelbare school wou hij Germaanse talen gaan studeren. Hij kon makkelijk pendelen tussen thuis en de universiteitsstad. Met de trein was het hooguit een halfuurtje. Maar vader en moeder vonden dat hij maar eens op eigen benen moest leren staan.

'Dan kunnen we je kamer verhuren,' grapte vader. Een eigen stek in Leuven. Het idee zinde hem wel. Ook omdat

William er ging studeren. Uiteindelijk had die toch maar psychologie genomen. Pieter had dat altijd voorspeld en bijgevolg vond hij dat een uitstekende keuze. Midden augustus waren ze samen naar Leuven getrokken om er een studentenkamer te zoeken. Dan was er nog keuze zat. Tante Nellie vond dat ze beter zelf op zoek konden gaan. Allebei kregen ze geld mee om een voorschot te betalen. Het werd een gezellige, leuke middag. Ze hadden beslist eerst voor Pieter te zoeken. 'Dan kan ik eens kijken hoe het moet,' had William gezegd. Typisch. William observeerde eerst en dan pas sloeg hij toe. De eerste twee kamers vond Pieter maar niks. Boven een computerzaak stond ook iets te huur. Ze gingen een kijkje nemen. Een ruime kamer, netjes onderhouden, met twee grote ramen die voor flink veel licht zorgden. Pieter was meteen in de wolken.

'Flink veel licht,' gniffelde William. 'Wat ben jij gezellig ouderwets.' Pieter liet het over zich heen gaan. Op dezelfde verdieping was er ook een toilet en dat vond hij wel belangrijk. 'Voor als ik er 's nachts uit moet,' mompelde hij. Toen Pieter zelf vooraf betaalde werd de man wantrouwig. Maar zowel Pieter als William verzekerden hem dat het oké was. En dat zijn ouders de zaak verder zouden regelen. Adressen en telefoonnummers werden uitgewisseld. De eigenaar zei dat om de hoek nog een soortgelijke kamer leeg stond. In dezelfde prijsklasse. Het was meteen raak. William aarzelde geen moment en nam de kamer.

'Denk je dat je het hier naar je zin zult hebben?' informeerde zijn toekomstige hospita. William knikte overtuigd en zei dat er 'flink veel licht was'. Dat hij dat wel belangrijk vond. Het kleine dametje leek vertederd. Toen ze eventjes niet keek leverde het William een flinke por in de ribben op. Hij kon nog net een kreet van pijn onderdrukken en Pieter gnuifde liefjes.

Het was nog vroeg. Ze hadden er de hele middag voor uitgetrokken. Dus besloten ze nog wat rond te wandelen. 'Het is fijn om je dicht in de buurt te weten,' zei Pieter. William wreef over zijn pijnlijke ribben. 'Als jij het zegt. Zolang je mijn deur maar niet platloopt,' waarschuwde hij. 'Nee nee,' stelde Pieter hem gerust. 'Ik kom hoogstens elke dag op de koffie.'

Het was een barre decemberwoensdag in de kerstvakantie. Een beetje doelloos slenterde Pieter door zijn geboortestad. Haast automatisch volgde hij straatjes en steegjes, liep hij over pleinen of binnenplaatsen. Hier en daar groette hij een vage bekende. Hij maakte de balans op van de voorbije jaren. Zijn vierde en laatste jaar schoot goed op. Pieter overwoog om na het behalen van zijn diploma verder te studeren. Leuven beviel hem wel. Hij was helemaal opgebloeid. Heel snel had hij in het bruisende studentenleven zijn weg gevonden. Naast tal van nieuwe mensen die hij had leren kennen kon hij rekenen op een ruime vriendenkring. Hij had plezier beleefd en avontuurtjes die het alleenzijn verdrongen. De begeerte kon bij momenten lelijk huishouden. Achteraf moest hij dan bekennen dat het toch niet dat was wat hij zocht. De passie was altijd snel bekoeld. Ze kon hevig oplaaien, maar na één nacht – of nog minder – was ze over. Het was geen leuke gedachte, maar hij was toch wat losser geworden in zijn verwachtingen. Toegegeven: hij hoopte nog steeds de grote liefde te vinden, maar hij lag er niet meer wakker van. Alles bij elkaar had Leuven hem goed gedaan. Hij zou er nog maar één of twee jaar bij doen. Als vader en moeder het goedvonden. In de weekends en de vakantie kwam hij thuis. Dat bleef gezellig. Vader had zijn kamer toch maar niet verhuurd. En William moest toch ook nog twee jaar, dus dat zat goed. Niet dat ze onafscheidelijk waren, maar in nood vonden ze elkaar. Samen spoorden ze van en naar Leuven, maar tijdens de week zagen ze elkaar nauwelijks. Of ze moesten elkaar toevallig tegen het lijf lopen. Toch bleek de band tussen hen niet meer te verbreken.

Pieter schrok zich te pletter en het bloed stolde in zijn aders. Zijn hart bonkte alsof het elk moment uit elkaar kon spatten. Ontelbare keren had hij zich in zijn verbeelding de ontmoeting voorgesteld. Wat hij zou voelen en zeggen indien dat zou gebeuren. Maar de maanden en jaren waren verstreken en hij had er niet meer op gerekend. En net nu hij het niet meer verwachtte, stonden ze plotseling oog in oog. Ze keken naar elkaar. Het leek een eeuwigheid te duren voor hij de stilte durfde verbreken.

'Ben je terug?'

Rachid schudde het hoofd en wist zich duidelijk geen houding te geven. 'Op bezoek bij mijn ouders. Wat papieren regelen.'

'Ah... Ik studeer nu in Leuven. Germaanse talen. Laatste jaar.'

Rachid ontweek zijn blik.

'En jij? Architectuur?'

Weer schudde hij het hoofd. 'Ik werk bij mijn oom in de zaak. Een bakkerij in Nador.' En dan, aarzelend: 'Volgende maand trouw ik.'

Pieter was ontzet. Hij wist niet wat hij hoorde. Het leek een nachtmerrie.

'Zeg niets,' smeekte Rachid. 'Ik kan niet anders.'

Pieter schudde langzaam het hoofd. 'Ik heb gewacht. Weken, maanden. Gehoopt je te zien. Iets van jou te horen. Ik was er zeker van dat je terug zou komen. Soms zag ik je lopen in de verte. Maar telkens was het iemand die op je leek.'

Het verwonderde Pieter dat hij het allemaal zo rustig gezegd kreeg.

Rachid schommelde van de ene voet op de andere. 'Ik zal je schrijven,' mompelde hij zachtjes.

Pieter reageerde koel. 'Dat had je ook eerder gekund.' Het klonk hard en meteen had hij spijt.

Rachid schudde het hoofd. 'Nee, dat kon ik niet. Maar dat begrijp je niet. Ik ben opgegroeid in jouw wereld. Jij... ook in die van jou...'

Het duurde even voor Pieter door had wat hij bedoelde. Het klonk als een terecht verwijt. Wat wist hij of had hij ooit geweten van Rachids wereld? Niets, behalve misschien een paar namen van gerechten. Helemaal niets. Hij had alleen maar eisen gesteld. Had hij ooit naar Rachids normen gehandeld? Of het op zijn minst geprobeerd?

'Ben je gelukkig?' Pieters stem klonk hard. 'En lieg niet. Je bent me de waarheid verschuldigd. Ik moet het weten.'

Rachid plukte wat aan een draad van een loszittend

knoopje. Vervolgens tuurde hij naar de wolken, alsof hij daar het antwoord zocht.

'Wel?' Pieter werd ongeduldig en gaf niet op.

Rachid probeerde te lachen en trok zijn gezicht in gekke snuiten. Hij schopte een kiezelsteentje tegen een boom. Toen keken de donkere ogen Pieter aan. Lang. De woorden kwamen niet, maar de blik sprak boekdelen. De warmte, de schaamte, het verlangen, de berusting, het heimwee, de herinnering...

Pieters hart liep over en zijn keel werd dichtgesnoerd.

'Ik heb je vreselijk gemist,' fluisterde Rachid.

De wind ritselde tussen de droge bladeren op de grond.

'Willen we ergens...' Nog voor Pieter zijn zin beëindigd had weerde Rachid af.

'Beter van niet. Voor allebei.'

Pieter begreep. 'Als je wilt schrijven... Doe maar. Je kent het adres.'

Rachids ogen kregen een zachte glans en hij knikte. 'Ik denk veel aan je, Pieter. Heel veel. Wees niet boos...' Zijn stem brak af.

Al had Pieter iets willen zeggen, hij kon het niet. Ze zwegen en keken naar elkaar. Rachid had groeven in zijn wangen en voorhoofd gekregen. Van de zon. Pieters gezicht was harder en hoekiger. De zachte trekken waren weg. Handen werden uitgestoken en gedrukt. Stevig en lang. Toen gingen ze zwijgend uit elkaar. Twintig meter verder draaide Pieter zich nog even om. Net op dit moment keek ook Rachid nog eens. Hij zwaaide kort. Pieter knikte.

'Ik ben opgegroeid in jouw wereld. Jij ook in die van jou...'

Het verwijt echode na en het woog op zijn borst. Duizend vragen had hij willen stellen. Hij wist niet welke eerst. Het weerzien legde oude wonden open.

'Ik heb je vreselijk gemist... Ik denk veel aan je, Pieter...' De woorden gonsden in zijn hoofd. Ze hadden van elkaar gehouden. Hun liefde was oprecht geweest. Maar vier jaar geleden was ze abrupt afgebroken. Hoe zei oma het ook alweer? 'Grote liefde brandt snel op.' De tijd had restjes pijn uitgewist maar de herinnering was gebleven. Zonder Rachid zou hij zijn leven ook doorkomen. Maar met hem was het fijner geweest. Hij zou schrijven, had hij gezegd. Misschien waren ze elkaar niet helemaal kwijt. De zon boorde een gaatje door het dikke wolkendek en glipte er zuinigjes door.

Eén straaltje maar, dacht Pieter, maar het is een goed begin.

Juni 2005